REVISTA NORDESTINA DE BIOLOGIA

VOL. 19 Nº 2   **2010**

SUMÁRIO

UNIVERSIDADE FEDERAL DA PARAÍBA
CENTRO DE CIÊNCIAS EXATAS E DA NATUREZA

ISSN - 0100-7653

REVISTA NORDESTINA DE BIOLOGIA
Publicação do Centro de Ciências Exatas e da Natureza
Universidade Federal da Paraíba

UNIVERSIDADE FEDERAL DA PARAÍBA
Reitor : Prof. Rômulo Soares Polari

CENTRO DE CIÊNCIAS EXATAS E DA NATUREZA
Diretor: Prof. Antonio José Creão Duarte

COMISSÃO EDITORIAL
Maria Regina de V. Barbosa, Alfredo Langguth, Martin Lindsey Christoffersen,
Ricardo de Sousa Rosa, Roberto Sassi

ASSESSOR PARA ASSUNTOS ON LINE
Itamar Barbosa de Lima

Correspondência e permuta deverão ser enviados à:
Revista Nordestina de Biologia
Caixa Postal 5049
58051-970 João Pessoa, PB, Brasil
e-mail:revnebio@gmail.com

PUBLICADA COM APOIO DO CNPq
A versão online deste número pode ser acessada em:
http://periodicos.ufpb.br/revnebio

Printed in Brazil
Impresso no Brasil
Gráfica JB Ltda
Av. Monsenhor Walfredo Leal, 681 - Tambiá
João Pessoa - Paraíba

30 de dezembro de 2010

Revista Nordestina de Biologia. 19(2): 3-14   30.XII.2010

AVES DA RESERVA BIOLÓGICA GUARIBAS, MAMANGUAPE, PARAÍBA, BRASIL.

Antônio Cláudio C. Almeida[1]
accagil@ig.com.br
Dante Martins Teixeira[2]
dante.teixeira@pq.cnpq.br

[1] Secretaria do Meio Ambiente (SEMAM). Prefeitura Municipal de João Pessoa, João Pessoa, PB, Brasil.
[2] Museu Nacional, UFRJ, Setor de Ornitologia, Rio de Janeiro, RJ, Brasil.

ABSTRACT

Birds of the Guaribas Biological Reserve, Mamanguape, State of Paraíba, Brazil. A checklist of birds of the Guaribas Biological Reserve, in the Atlantic Forest of Northeastern Brazil, is presented. A total of 187 species were recorded belonging to 38 families and comprising 111 Passeres (59%) and 76 Non-passeres (41%). Approximately 35% of the observed species inhabit both the open habitats ("tabuleiros") and the semideciduous forest, while 32% occur exclusively in forest habitat and 33% in open areas. The only endemic species recorded was *Picumnus fulvescens* (Picidae). Species of wide distribution, including the Amazon forest were found (*e.g. Procnias averano, Idioptilon zosterops, Tyranniscus gracilipes*), suggesting a past connection between those two ecosystems. Among the identified species, ten are included in the official list of animals under threat of extinction for the Brazilian fauna: *Crypturellus noctivagus zabele, Leucopternis lacernulata,Odontophorus capueira plumbeicollis, Momotus momota marcgraviana, Myrmeciza ruficauda, Conopophaga melanops nigrifrons, Conopophaga lineata cearae, Iodopleura pipra leucopygia, Xipholena atropurpurea, Procnias averano averano*
Key words: Birds list, Atlantic Forest, Guaribas Biological Reserve, Northeastern Brazil..

RESUMO

AVES DA RESERVA BIOLÓGICA GUARIBAS, MAMANGUAPE, PARAÍBA, BRASIL. Os autores apresentam uma lista das aves da Reserva Biológica Guaribas na Floresta Atlântica do Nordeste do Brasil. Registrou-se um total de 187 espécies pertencentes a 38 famílias que incluem 111 Passeriformes (59%) e 76 no-Passeriformes (41%). Cerca 35% das espécies observadas habitam tanto áreas abertas (tabuleiros) como a floresta semidecídua, enquanto que 32% ocorrem exclusivamente em habitat florestal e 33% apenas em áreas abertas. A única espécie endêmica registrada foi *Picumnus fulvescens* (Picidae). Foram encontradas espécies com ampla distribuição que atinge a Floresta Amazônica, *e.g. Procnias averano, Idioptilon zosterops, e Tyranniscus gracilipes*, sugerindo uma pretérita conexão entre

ambos ecossistemas. Entre as espécies identificadas dez estão na lista oficial de espécies animais da fauna brasileira ameaçadas de extinção de 2008: *Crypturellus noctivagus zabele*, *Leucopternis lacernulata*,*Odontophorus capueira plumbeicollis*, *Momotus momota marcgraviana*, *Myrmeciza ruficauda*, *Conopophaga melanops nigrifrons*, *Conopophaga lineata cearae*, *Iodopleura pipra leucopygia*, *Xipholena atropurpurea*, e *Procnias averano averano*
Palavras-chave: Lista de aves, Floresta Atlântica, Reserva Biológica Guaribas, Nordeste do Brasil.

INTRODUÇÃO

Localizada a aproximadamente 78 km ao norte de João Pessoa, Estado da Paraíba (Brasil), a Reserva Biológica Guaribas integra o Sistema de Unidades de Conservação do Instituto Chico Mendes de Conservação da Biodiversidade (ICMBIO), tendo sido estabelecida pelo decreto 98884 de 25 de janeiro de 1990 (CÂMARA, 1991). Com uma área de 4321,6 ha, essa unidade compreende cerca de 0,07% da cobertura florestal de mata atlântica remanescente no Estado da Paraíba, domínio atualmente estimado em aproximadamente 0,4 % (22640 ha) da superfície do Estado (LINS e MEDEIROS, 1994). Dos três fragmentos que constituem a Reserva Biológica Guaribas, dois (SEMA I e II) estão situados no município de Mamanguape (aprox. 06° 50'S, 35° 07'W) e são compostos de florestas alteradas e paisagens abertas, enquanto o terceiro (SEMA III) compreende a uma pequena mancha de floresta limítrofe à cidade de Rio Tinto (*aprox.* 06° 48'S, 35° 04'W). A paisagem local divide-se basicamente entre duas fitofisionomias distintas, pois as matas correspondem à floresta estacional semidecidual de terras baixas descrita em BRASIL (1981), ao passo que as formações abertas abrangem os chamados "tabuleiros" *sensu* TAVARES (1964). Em alguns trechos da área SEMA I, observa-se a presença de pequenos encraves compostos por espécies vegetais de ambas fitofisionomias que dificultam sobremaneira a perfeita caracterização do mosaico existente, tanto mais que os "tabuleiros" sofreram marcado processo de degradação e interferência antrópica ao longo das últimas décadas, perdendo quase completamente seu aspecto original (CARVALHO e CARVALHO, 1993; TAVARES, 1964). Além disso, diversos pontos da Reserva Biológica Guaribas sofreram corte seletivo de madeira ou alterações causadas pela ação de incêndios esporádicos, em parte ocasionados pelo fogo utilizado periodicamente nos canaviais que circundam o perímetro dessa unidade de conservação.

Entre as poucas publicações disponíveis sobre avifauna da Paraíba (DEKEYSER, 1979; FORBES, 1881; LAMM, 1948 e ZENAIDE, 1953), apenas PINTO e CAMARGO (1961) mencionam as aves das vizinhanças da Reserva Biológica Guaribas em publicações sobre os resultados ornitológicos das expedições realizadas pelo Departamento de Zoologia da Secretaria de

Agricultura de São Paulo, hoje Museu de Zoologia da USP. Suas referências se revelam particularmente significativas por estarem quase sempre baseadas em espécimes coletados em localidades bem definidas. De fato, entre junho e agosto de 1957, esses autores registraram um total de 200 espécies distintas, sendo que 81 correspondem à caatinga do município de Coremas (aprox. 07° 00'S, 37° 56'W), 86 às matas semideciduais do município de Mamanguape e 33 a espécies coletadas em ambas localidades. Tendo em vista os poucos dados disponíveis sobre a avifauna da Paraíba e a própria importância da Reserva Biológica Guaribas como uma das poucas unidades de conservação do Estado que protege remanescentes das florestas litorâneas do nordeste do Brasil, é oportuno o inventário preliminar da avifauna dessa unidade de conservação.

MATERIAL E MÉTODOS

A presente contribuição baseia-se nos resultados oriundos de uma série de visitas realizadas entre 1989 e 1995 na Reserva Biológica Guaribas, as quais totalizaram 76 dias efetivos de trabalhos de campo e cerca de 650 horas de observação realizadas, entre as 6:00 e as 19:00 hs, sobretudo nas áreas de mais fácil acesso (e.g. matas Cabeça-de-Boi, Maripitanga e Caiana), em geral utilizando as trilhas e caminhos já disponíveis. O registro visual das espécies foi efetuado com o auxílio de binóculo Pentax 8X40 e Nikon 10X50, sendo algumas vocalizações registradas com um gravador Sony TCM-S63. A captura de espécimes foi realizada essencialmente com onze redes ornitológicas ("mist-nets") armadas tanto no interior e nas bordas da floresta semidecidual quanto no "tabuleiro", ao passo que informações adicionais sobre espécies cinegéticas e outros elementos de relevância da avifauna local foram obtidos através de entrevistas informais com os moradores da região e funcionários da Reserva. Eventuais exemplares obtidos foram depositados no acervo do Setor de Ornitologia do Museu Nacional - Universidade Federal do Rio de Janeiro (MN/UFRJ) e nas coleções do Departamento de Sistemática e Ecologia da Universidade Federal da Paraíba (DSE/UFPB). A listagem das espécies registradas adota a seqüência proposta por SCHAUENSEE (1970) e discrimina o habitat em que cada táxon foi registrado ao invés do ponto exato das observações. As aves ameaçadas de extinção mencionadas no texto encontram-se definidas na lista oficial estabelecida pelo Ministério do Meio Ambiente (Instrução Normativa n° 3; MACHADO et al., 2008). Para a grande maioria das espécies foram adotados os nomes populares usados por moradores locais e os apresentados por SICK (1985) e ZENAIDE (1953).

RESULTADOS E DISCUSSÃO

As 187 espécies de aves registradas na Reserva Biológica Guaribas pertencem a 38 famílias e compreendem 111 Passeres (59%) e 76 no-Passeres (41%). Conforme demonstra a tabela 1, 66 aves (35% dos táxons observados) freqüentam tanto os habitats abertos (*e.g.* bordas alteradas e tabuleiros) quanto a mata estacional semidecídua, enquanto que outras 60 (32%) ocorrem apenas em ambientes florestais e as 61 formas restantes (33%) exclusivamente em áreas abertas.

A exemplo do que ocorre em vários outros pontos do litoral nordestino, a avifauna de ambientes florestais encontrada na Reserva Biológica Guaribas congrega poucos endemismos, (somente *Picumnus fulvescens*), bem como outros taxa próprios da Mata Atlântica ao Norte do Rio São Francisco *e.g. Leucopternis lacernulata, Touit surda, Xipholena atropurpurea*. São encontrados ainda representantes de ampla distribuição na Amazônia *e.g. Procnias averano, Idioptilon zosterops e Tyranniscus gracilipes*, o que sugere uma pretérita conexão entre esses dois ecossistemas mencionada por diversos autores (ANDRADE-LIMA, 1982; BIGARELLA e ANDRADE-LIMA, 1982; FERNANDES, 1990). No que concerne às áreas abertas, várias aves dos "tabuleiros" também ocorrem nas formações mais secas da caatinga, *e.g. Columbina minuta, Hydropsalis brasiliana, Synallaxis frontalis* (PINTO e CAMARGO, 1961), fato que evidencia a facilidade com que determinadas espécies "oportunistas" ocupam os mais variados tipos de paisagens abertas, muitas vezes se aproveitando do intenso desmatamento promovido pelas atividades antrópicas. Esse fenômeno, provavelmente, já vinha sendo reforçado naturalmente pela própria história evolutiva das paisagens xéricas e florestais úmidas, ocorrida nas últimas épocas geológicas na região nordeste do Brasil (ver BIGARELLA e ANDRADE-LIMA, 1982).

Das 187 aves registradas por nós para a Reserva Biológica Guaribas, nada menos que 85 (cerca de 42,5%) não constam da listagem publicada por PINTO e CAMARGO (1961), ao passo que 19 espécies citadas por esses mesmos autores para o município de Mamanguape não foram observadas na área trabalhada até o momento, são elas: *Aratinga aurea, Chelidoptera tenebrosa, Xiphorhynchus guttatus, Furnarius leucopus, Furnarius figulus, Automolus leucophthalmus, Mymotherula axillaris, Pachyramphus viridis, Schiffornis turdinus, Pitangus lictor, Myiarchus ferox, Mimus saturninus, Platycichla flavipes, Anthus lutescens, Cacicus cela, Cacicus solitarius, Paroaria dominicana, Oryzoborus angolensis e Carduelis yarellii.*

Ainda que as limitações impostas durante os trabalhos de campo realizados possam ter originado diversas lacunas, tampouco parece razoável desprezar o fato da região onde se insere a Reserva ter sido muito desfigurada durante as últimas décadas, realidade marcada por intenso desmatamento e grande fragmentação que poderiam ter provocado descontinuidades na distribuição de algumas espécies e mesmo extinções locais. Um exemplo é *Mymotherula axillaris*, uma das espécies coletadas em 1957 por PINTO e CAMARGO (1961) no município de Mamanguape, a qual não foi assinalada nos dias de hoje para a Reserva Biológica Guaribas, apesar de existir a menos de 31 km de distância, a sudoeste da reserva, na Fazenda Pacatuba (RPPN), município de Sapé (*aprox.* 07° 05'S, 35° 13'W).

Embora semelhante processo possa eventualmente explicar a ausência de representantes como *Xiphorhynchus guttatus*, *Automolus leucophthalmus*, *Myrmotherula axillaris*, *Schiffornis turdinus* e *Platycichla flavipes*, a perda em larga escala de ambientes florestais decerto não justifica a ausência de aves de paisagens abertas capazes de sobreviver em áreas muito degradadas e até mesmo nos arredores imediatos das habitações humanas *como Chelidoptera tenebrosa* e *Anthus lutescens*, espécies que muitas vezes ampliam suas áreas de ocorrência graças à expansão de ambientes antrópicos. Entretanto, cabe ressaltar que pássaros canoros como o curió (*Oryzoborus angolensis*) e o pintassilgo (*Carduelis yarellii*) poderiam ter desaparecido pela perseguição movida por moradores e traficantes de aves de gaiola. O relato dos habitantes locais também sugere a ocorrência anterior da "patativa-do-jacuípe" (*Sporophila plumbea*) nos "tabuleiros" da região (SANTOS, 1940 e ZENAIDE, 1953). Os mesmos moradores locais, ainda arrolam a seriema (*Cariama cristata*) entre as aves de "tabuleiros" extintas pela pressão de caça, embora as espécies cinegéticas mais apreciadas sejam os aracuãs (*Ortalis guttata aracuan*), os capoeiras (*Odontophorus capueira*) e os jacus (*Penelope superciliaris*), que ainda podem ser observados com freqüência no interior da mata.

Nesse sentido, também parece pertinente observar que a Reserva Biológica Guaribas abriga 10 taxa da lista oficial de animais ameaçados de extinção da fauna brasileira, os quais incluem: *Crypturellus noctivagus zabele*, *Leucopternis lacernulata*, *Odontophorus capueira plumbeicollis*, *Momotus momota marcgraviana*, *Myrmeciza ruficauda*, *Conopophaga melanops nigrifrons*, *Conopophaga lineata cearae*, *Iodopleura pipra leucopygia*, *Xipholena atropurpurea* e *Procnias averano averano*

Segundo as observações efetuadas, *Iodopleura pipra leucopygia* mostra-se muito comum, ao passo que *Procnias averano* parece ser bem mais escasso que há duas décadas, quando podia ser vista com freqüência alimentando-se dos frutos do "trapiá" (*Crataeva tapia*, Capparidaceae), conforme mencionam diversos moradores locais. Por último, cabe acrescentar que as entrevistas realizadas sugerem a presença de aves não registradas durante os trabalhos de campo, tais como: marreca-assoviadeira ou irerê (*Dendrocygna viduata*), carão (*Aramus guarauna*) e o galo-de-campina (*Paroaria dominicana*). As duas primeiras seriam encontradiças na "fontainhas", pequenas lagoas temporárias formadas nos tabuleiros durante o período chuvoso, enquanto que a última tanto poderia ter chegado

Tabela 1 - Lista das aves identificadas na Reserva Biológica Guaribas. @ - espécie ameaçada de extinção; **F** - ambientes florestados, inclui as formações secundárias e borda de mata; **A** - paisagens abertas, como "tabuleiros"; **E** - espécimes coletados; **CS** - captura e soltura; **VA** -_registros visuais e/ou auditivos; * - espécie não registrada por PINTO e CAMARGO (1961) para Mamanguape (PB).

Família/Espécie	Nome popular	Habitats		Registros		
		F	A	E	CS	VA
TINAMIDAE						
Crypturellus soui *	nambú-sabiá	x		•		•
Crypturellus parvirostris *	pé-encarnado	x	x		•	
Crypturellus tataupa *	nambú-pé-roxo	x	x			•
Crypturellus noctivagus zabele *@	zabelê	x				•
Nothura maculosa *	codorniz		x			•
Rhynchotus rufescens *	nambú-apé		x			•
ARDEIDAE						
Butorides striatus *	socozinho		x			•
CATHARTIDAE						
Coragyps atratus *	urubu		x			•
Cathartes aura *	urubu		x			•
ACCIPITRIDAE						
Elanus leucurus *	peneira		x			•
Ictinia plumbea *	gavião-azul		x			•
Accipter bicolor *	gavião	x	x		•	•
Buteo albicaudatus *	gavião-rabo-branco		x			•
Buteo albonotatus *	gavião-preto	x	x			•
Buteo magnirostris	gavião-pega-pinto	x	x			•
Leucopternis lacernulata*@	gavião-preguiça	x				•
Buteogallus urubitinga*	gavião-preto	x	x			•
FALCONIDAE						
Herpetotheres cachinnans*	acauã, cauã	x	x			•
Micrastur ruficollis*	gavião-mateiro	x	x		•	•
Milvago chimachima*	carrapateiro		x			•
Polyborus plancus*	carcará		x			•
Falco femoralis*	gavião-coleira		x			•
Falco sparverius*	gavião-rapina		x			•
CRACIDAE						
Penelope superciliaris alagoensis @	jacu	x				•
Ortalis guttata aracuan*	aracuã	x	x			•
PHASIANIDAE						
Odontophorus capueira plumbeicollis*@	capoeira	x		•		•
RALLIDAE						
Amaurolimnas concolor	siricóia	x				•
Aramides cajanea*	três-potes	x	x			•
Laterallus viridis*	cambonge	x				•
COLUMBIDAE						
Columba speciosa*	pomba-trocal	x	x			•
Columba cayennensis*	pomba-galega	x	x		•	•
Columbina passerina	rolinha		x			•
Columbina minuta *	rola-cambute		x			•
Columbina talpacoti	rola-cabocla	x	x			•
Claravis pretiosa	rola-azul	x	x			•
Leptotila verreauxi*	juriti	x	x		•	•
Leptotila rufaxilla*	juriti	x				•
Geotrygon montana*	pararí, pararí	x	x			•

Tabela 1 - Continuação.

Família/Espécie	Nome popular	Habitats		Registros		
		F	A	E	CS	VA
PSITTACIDAE						
Forpus xanthopterygius	tapacú	x	x			•
Touit surda	periquito	x	x			•
Amazona amazonica	curica	x	x			•
CUCULIDAE						
Piaya cayana	alma-de-gato	x				•
Crotophaga ani	anum-preto		x			•
Tapera naevia*	peitica		x		•	•
Coccyzus euleri*	lagarteiro	x			•	•
TYTONIDAE						
Tyto Alba	rasga-mortalha		x			•
STRIGIDAE						
Otus choliba*	caburé-de-orelha	x	x			•
NYCTIBIDAE						
Nyctibius griseus	mãe-da-lua	x				•
CAPRIMULGIDAE						
Lurocalis semitorquatus*	bacurau	x	x			•
Chordeiles pusillus	bacurauzinho		x			•
Nyctidromus albicollis*	Bacurau	x	x			•
Caprimulgus rufus *	joão-corta-pau	x	x			•
Caprimulgus parvulus*	bacurau		x			•
Hydropsalis brasiliana *	bacurau-tesoura		x		•	•
APODIDAE						
Panyptila cayennensis*	andorinhão	x				•
Chaetura aff. andrei	andorinhão		x			•
TROCHILIDAE						
Glaucis hirsuta	beija-flor	x			•	•
Phaethornis pretrei	beija-flor	x	x		•	•
Phaethornis ruber	besourinho	x			•	•
Eupetomena macroura*	tesourão	x	x		•	•
Melanotrochilus fuscus	beija-flor-preto	x				•
Chrysolampis mosquitus*	beija-flor		x			•
Chlorestes notatus	beija-flor	x	x	•		•
Chlorostilbon aureoventris *	beija-flor	x	x		•	•
Polytmus guainumbi	beija-flor	x	x		•	
Amazilia fimbriata *	beija-flor	x	x		•	•
Heliothryx aurita *	beija-flor		x		•	
Heliactin cornuta *	beija-flor		x		•	
TROGONIDAE						
Trogon curucui	perua-choca	x				•
MOMOTIDAE						
Momotus momota marcgraviana @	joão-gurutúba	x			•	•
GALBULIDAE						
Galbula ruficauda	fura-barreira	x			•	•
BUCCONIDAE						
Nystalus maculatus*	fura-barreira		x		•	•
PICIDAE						
Picumnus fulvescens *	pinicapau-pequeno	x	x	•	•	•
Celeus flavescens	pinicapau	x			•	
Dryocopus lineatus	pinicapau	x	x			•

Tabela 1 - Continuação.

Família/Espécie	Nome popular	Habitats		Registros		
		F	A	E	CS	VA
Veniliornis passerinus	pinicapau	x	x		•	•
DENDROCOLAPTIDAE						
Sittasomus griseicapillus	pinicapau-vermelho	x			•	•
Xiphorhynchus picus	pinicapau-vermelho	x			•	•
Lepidocolaptes fuscus	pinicapau-vermelho	x			•	•
FURNARIIDAE						
Synallaxis frontalis	teotônio		x		•	•
Poecilurus scutatus	estrelinha-preta	x				•
Xenops rutilans	bico-virado	x		•		
Xenops minutus	bico-virado	x			•	•
FORMICARIIDAE						
Taraba major	chorró	x	x		•	•
Thamnophilus doliatus	chorró		x		•	•
Thamnophilus palliatus	chorró		x			•
Thamnophilus punctatus	chorró	x		•	•	•
Thamnophilus torquatus	chorró		x	•	•	•
Dysithamnus mentalis	chorrozinho	x			•	•
Herpsilochmus pileatus	chorrozinho	x				•
Herpsilochmus rufimarginatus	chorrozinho	x				•
Formicivora grisea	cachorrinho	x	x		•	•
Formicivora rufa	chorrozinho		x	•		•
Myrmeciza ruficauda @	choquinha	x			•	
Conopophaga melanops nigrifrons @	chupa-dente-de-máscara	x			•	•
Conopophaga lineata cearae @	cuspidor	x			•	•
COTINGIDAE						
Iodopleura pipra leucopygia *@	anambezinho	x		•		•
Pachyramphus polychopterus	caneleiro	x	x			•
Xipholena atropurpurea @	escarradeira	x				•
Procnias averano averano *@	ferreiro	x				•
PIPRIDAE						
*Pipra rubrocapilla**	cabeça-encarnada	x				•
Chiroxiphia pareola	padre	x		•	•	•
*Manacus manacus**	rendeira	x			•	•
Neopelma pallescens	quero-cagar	x		•	•	•
TYRANNIDAE						
Fluvicola nengeta *	lavadeira		x			•
Arudinicola leucocephala	viuvinha		x			•
Muscivora tyrannus	bem-te-vi-tesoura		x			•
Tyrannus melancholicus	suiriri	x	x		•	•
Empidonomus varius *	bem-te-vi	x	x			•
Legatus leucophaius *	bem-te-vi	x	x		•	•
Megarhynchus pitangua	bem-te-vi-patola	x	x			•
Pitangus sulphuratus *	bem-te-vi	x	x			•
Casiornis fusca *	caneleiro	x	x		•	•
Myiarchus tyrannulus *	maria-cavaleira	x	x		•	•
Cnemotriccus fuscatus *	cucurutado	x	x		•	•

Tabela 1- Continuacão.

Família/Espécie	Nome popular	Habitats			Registros	
		F	A	E	CS	VA
Myiobius barbatus	assanhadinho	x			•	•
Myiophobus fasciatus	filipe		x		•	•
Platyrinchus mystaceus	patinho	x		•	•	•
Tolmomyias sulphurescens	bico-chato	x				•
Tolmomyias flaviventris	bico-chato	x		•	•	•
Todirostrum cinereum	sebito	x	x		•	•
Todirostrum fumifrons	sebito	x	x		•	•
Idioptilon striaticolle	sebito	x				•
Idioptilon margaritaceiventer	sebito		x		•	•
Idioptilon zosterops	sebito	x		•		•
Capsiempis flaveola	sebinho	x			•	•
*Euscarthmus meloryphus**	barulhento		x		•	•
*Serpophaga subcristata**	cucurutado		x		•	•
Elaenia flavogaster	maria-besta		x	•		•
Elaenia mesoleuca *	cucurutado	x	x	•	•	•
Elaenia cristata	cucurutado		x	•	•	•
*Elaenia chiriquensis**	cucurutado		x	•		•
Phaeomyias murina *	bagageiro		x	•	•	•
Camptostoma obsoletum *	risadinha	x	x			•
Phyllomyias fasciatus	piolhinho	x	x	•		•
Tyranniscus gracilipes *	-		x	•		
*Ornithion inerme**	-		x		•	•
Leptopogon amaurocephalus *	cabeçudo	x			•	•
Pipromorpha oleaginea *	abre-asa	x			•	•
HIRUNDINIDAE						
Phaeoprogne tapera *	andorinha		x			•
Progne chalybea	andorinha		x			•
Notiochelidon cyanoleuca *	andorinha	x	x			•
Stelgidopteryx ruficollis	andorinha	x	x			•
TROGLODYTIDAE						
Thryothorus genibarbis	pai-avô	x			•	•
Thryothorus longirostris	rouxinol		x			•
Troglodytes aedon	rouxinol	x	x		•	•
TURDIDAE						
Turdus rufiventris	sabiá-gongá	x				•
Turdus leucomelas	sabiá-cinzenta	x	x	•	•	•
SYLVIIDAE						
Ramphocaenus melanurus	bico-assovelado	x			•	•
Polioptila plumbea	balança-rabo	x	x		•	•
VIREONIDAE						
Cyclarhis gujanensis	pitiguarí	x	x		•	•
Vireo olivaceus	juruviara	x	x		•	•
Hylophilus amaurocephalus	verdinho-coroa	x	x		•	•
ICTERIDAE						
Molothrus badius *	papa-arroz		x			•
Icterus cayanensis *	encontro		x			•
*Leistes militaris**	xexéu-preto		x			•
PARULIDAE						
Basileuterus flaveolus	canário-do-chão	x			•	•

Tabela 1- Continuação.

Família/Espécie	Nome popular	Habitats			Registros	
		F	A	E	CS	VA
Basileuterus culicivorus	pula-pula	x			•	•
COEREBIDAE						
Coereba flaveola	sibito	x	x		•	•
Cyanerpes cyaneus	azulinho	x				•
Dacnis cayana	verdelinho	x	x	•	•	•
THRAUPIDAE						
Euphonia chlorotica *	vim-vim	x	x		•	•
Euphonia violacea	guriatã-de-coqueiro	x	x		•	•
Tangara cayana	verdelinho	x	x	•	•	•
Thraupis sayaca	sanhaçú	x	x			•
Thraupis palmarum	sanhaçú-verde	x	x			•
Ramphocelus bresilius	sangue-de-boi	x	x			•
Tachyphonus rufus	tié-preto	x	x		•	•
Tachyphonus cristatus	tié-da-mata	x			•	•
Nemosia pileata	saíra	x			•	•
Hemithraupis guira	saíra	x			•	•
Thlypopsis sordida *	canário-sapé	x	x		•	•
Schistochlamys ruficapillus *	bico-de-veludo		x		•	•
Schistochlamys melanopis	sanhaçú-coleira		x			•
FRINGILLIDAE						
Saltator maximus	trinca-ferro	x			•	•
Cyanocompsa brissonii *	azulão		x		•	•
Volatinia jacarina	salta-toco		x		•	•
Tiaris fuliginosa *	cigarra		x		•	•
Sporophila lineola *	bigode		x			•
Sporophila nigricollis	papa-capim		x		•	•
Sporophila albogularis *	golado		x			•
Sporophila leucoptera	chorão		x		•	•
Sporophila bouvreuil	caboclinho		x			•
Sicalis flaveola *	canário		x			•
Arremon taciturnus	canário-da-mata	x			•	•
Ammodramus humeralis	tico-rato		x		•	•
Emberizoides herbicola	canário-do-campo		x			•

à região de modo próprio quanto ter sido introduzida pelo homem, pois esse pássaro bastante comum na caatinga é freqüentemente mantido como xerimbabo. Além disso, os habitantes locais mencionaram por diversas vezes, a existência de um "corujão" de grande porte e vocalização característica, cuja descrição corresponde a *Pulsatrix perspicillata* Strigidae, assinalado anteriormente para o município de Mamanguape por PINTO e CAMARGO (1961).

AGRADECIMENTOS

Agradecemos ao biólogo Marcelo Marcelino de Oliveira, chefe da Reserva Biológica Guaribas no período dos trabalhos, que apoiou integralmente o desenvolvimento das nossas pesquisas. Aos funcionários da unidade de conservação, Manuel, Luís (*in memoriam*), Oscar e Severino, pela assistência nos trabalhos de campo e pelas valiosas informações sobre a avifauna local. Ao Prof. Dr. Breno M. Grisi (DSE/UFPB) pelas sugestões e incansável apoio aos trabalhos desenvolvidos na reserva. O Conselho Nacional de Desenvolvimento Científico e Tecnológico (CNPq) concedeu bolsa aos autores.

REFERÊNCIAS BIBLIOGRÁFICAS

ANDRADE-LIMA, D. 1982 - Present-day forest refuges in northeastern Brazil; pp. 245-251. In: Prance, G.T. (ed.), **Biological diversification in the tropics.** Columbia University Press, New York.

BIGARELLA, J. J. e ANDRADE-LIMA, D. 1982 - Paleoenvironmental changes in Brazil; pp. 27-40. In: Prance, G. T. (ed.), **Biological diversification in the tropics.** Columbia University Press, New York.

BRASIL. 1981 - Projeto RADAMBRASIL. Folhas SB. 24/25, Jaguaribe/Natal. Ministério de Minas e Energia (Levantamento de Recursos Naturais, 23). Rio de Janeiro.

CÂMARA, I. G. 1991 - **Plano de ação para a mata atlântica.** Fundação SOS Mata Atlântica, São Paulo.

CARVALHO, F. A. e CARVALHO, M. G. R. 1993 - A devastação dos cerrados (Tabuleiros) no litoral do Estado da Paraíba. R*evista Nordestina Biologia* 8(2): 107-112.

DEKEYSER, P. L. 1979 - Une contribution meconnue à l'ornithologie de l'état de la Paraíba. R*evista Nordestina Biologia* 2(1/2): 127-145.

FERNANDES, A. 1990 - **Temas fitogeográficos: I-Deriva continental - Conexões (Fl. amazônica/ Fl.atlântica) vegetacionais, II-Conjunto vegetacional cearense, III-Manguezais cearenses.** Stylus Comunicações, Fortaleza.

FORBES, W. A. 1881 - Eleven weeks in Northeastern Brazil. *Ibis* 5(19): 312-362.

LAMM, D.W. 1948 - Notes of the birds of states of Pernambuco and Paraíba. *Auk* 65: 261-283.

LINS, J. R .P. e MEDEIROS, A. N. 1994 - **Mapeamento da cobertura florestal nativa lenhosa do Estado da Paraíba.** Documento de campo n° 22. PNUD/FAO/IBAMA/Governo da Paraíba, João Pessoa.

MACHADO, A. B. M., DRUMMOND, G. M., PAGLIA, A. P. (Eds.) 2008 - **Livro vermelho da fauna brasileira ameaçada de extinção.** 1ª ed.: 2v.

1420 pp. MMA e Fundação Biodiversitas, Brasília e Belo Horizonte.
PINTO, O. M. de O. e CAMARGO, E. A. 1961 - Resultados ornitológicos de quatro recentes expedições do Depto. de Zoologia ao nordeste do Brasil, com descrição de seis novas subespécies. *Arquivos de Zoologia, São Paulo* 11(9): 193-284.
SANTOS, E. 1940 - **Os pássaros do Brasil**. Editora Briguiet & Cia, Rio de Janeiro.
SCHAUENSEE, R. M. de 1970 - **A guide to the birds of South American**. Academy of Natural Sciences of Philadelphia, Philadelphia.
SICK, H. 1985 - **Ornitologia brasileira, uma introdução** (2 Vols.). Editora Universidade de Brasília, Brasília.
TAVARES, S. 1964 - Contribuição para o estudo da cobertura vegetal dos tabuleiros do Nordeste. *Boletim de Recursos Naturais* 2(1/2): 13-24.
ZENAIDE, H. 1953 - **Aves da Paraíba**. Editora Teone, João Pessoa.

Revista Nordestina de Biologia. 19(2): 15-24   30.XII.2010

LEGUMINOSAS ARBÓREAS EM REMANESCENTES FLORESTAIS LOCALIZADOS NO EXTREMO NORTE DA MATA ATLÂNTICA

Glauber de Oliveira Dionísio [1]
glauberdionisio@yahoo.com.br
Maria Regina de V. Barbosa [2]
mregina@dse.ufpb.br
Haroldo Cavalcante de Lima. [3]
hlima@jbrj.gov.br

[1] Programa de Pós-Graduação em Biologia Vegetal, PPGBV, Universidade Federal de Pernambuco, Recife, PE.
[2] Departamento de Sistemática e Ecologia,Universidade Federal da Paraíba, João Pessoa, PB.
[3] Instituto de Pesquisas Jardim Botânico do Rio de Janeiro, Rio de Janeiro, RJ

RESUMO

Leguminosas arbóreas em remanescentes florestais localizados no extremo norte da Mata Atlântica. Este trabalho consiste no levantamento das espécies arbóreas de Leguminosae presentes em dois remanescentes de Mata Atlântica nos estados da Paraíba e Rio Grande do Norte: a Reserva Biológica (REBIO) Guaribas (6°43'11"S; 35°10'54"W), e a Reserva Particular do Patrimônio Natural (RPPN) Mata Estrela (6°43'11"S; 35°10'54"W). Foram realizadas coletas aleatórias de material botânico e também coletas sistemáticas em 10 parcelas de 10x10m em cada uma dessas áreas. Também foram consultados os herbários JPB, IPA, UFP, PEUFR, HRB, ALCB, CEPEC e RB. Vinte e duas espécies foram reconhecidas nas duas áreas, destas 19 ocorrem na REBIO Guaribas (6 Caesalpinioideae, 2 Papilionoideae 11 Mimosoideae) e 10 na Mata Estrela (5 Caesalpinioideae, 2 Papilionoideae e 3 Mimosoideae). Caracteres diagnósticos diferenciais para as espécies são apresentados em uma chave de identificação.
Palavras-chave: Leguminosae, Fabaceae, Árvores, Mata Atlântica, Nordeste do Brasil, Florística

ABSTRACT

Legume tree species in forest remnants at the Atlantic Coastal Forest Northern limit . This paper is a survey of tree species of Leguminosae in two Atlantic Forest remnants in the states of Paraiba and Rio Grande do Norte, Brazil, the "Reserva Biológica Guaribas" (6°43'11"S; 35°10'54"W), in northeastern Paraíba, and the "Reserva Particular do Patrimônio Natural" Mata Estrela (6°43'11"S; 35°10'54"W). Random and systematic sampling in ten 10 x 10 m parcels were made, and the herbaria JPB, IPA, UFP, PEUFR, HRB, ALCB, CEPEC and RB were revised. Twenty two species were recognized, 19 for the Guaribas Reserve (5 Caesalpinioideae, 2 Papilionoideae and 11 Mimosoideae); and 10 for the RPPN Mata Estrela (5

Caesalpinioideae, 2 Papilionoideae and 3 Mimosoideae). Diagnostic characters are presented in a key to the species.
Key words: Leguminosae, Fabaceae, Trees, Atlantic Forest, Northeastern Brazil, Floristics

INTRODUÇÃO

A Mata Atlântica cobria cerca de 1,3 milhões de km^2 ou 15% do território brasileiro, estendendo-se em uma faixa de largura variável ao longo da costa brasileira, do Rio Grande do Norte ao Rio Grande do Sul. Severamente degradada, a mata teve sua área reduzida para apenas 5 a 7% da área original, com os remanescentes atuais dispersos em fragmentos alterados, sob alta pressão antrópica (REDE DE ONGS MATA ATLÂNTICA *et al,* 2001). Todavia, a Mata Atlântica ainda apresenta um dos maiores índices de endemismo e diversidade biológica dentre as florestas tropicais (GIULIETTI e FORERO, 1990; McNEELY *et al,* 1990; MITTERMEIER *et al.* 1999).

Cerca de 19% do domínio original da Mata Atlântica localizava-se na região Nordeste, correspondendo a uma área de 255.245 km^2. No estado da Paraíba, esse valor perfazia cerca de 12% da área do estado, e no Rio Grande do Norte correspondia a 6% da extensão territorial. Atualmente restam apenas cerca de 9% da área original na Paraíba e 15% no Rio Grande do Norte (REDE DE ONGS MATA ATLÂNTICA *et al,* 2001; LINS e MEDEIROS, 1994).

Nos levantamentos da flora em áreas da Mata Atlântica, a família Leguminosae aparece sempre entre as cinco famílias mais diversas (ARAÚJO, 1997; ASSUMPÇÃO e NASCIMENTO, 2000; BARBOSA, 1996; CESTARO, 2002; PONTES, 2000; GUEDES-BRUNI e LIMA, 1997; LEITÃO-FILHO e MORELLATO, 1997; LOMBARDI e GONÇALVES, 2000; MAMEDE *et al.,* 1997; PEIXOTO e SILVA, 1997; RODAL e NASCIMENTO, 2002; SANCHEZ *et al.,* 1999; STRANGHETTI e RANGA, 1998; TABARELLI e MANTOVANI, 1999; THOMAS, 1997). No entanto, muitos pesquisadores têm dificuldade na identificação das espécies arbóreas de Leguminosae no campo devido ao elevado número de espécies e a grande variabilidade morfológica presente na família.

O primeiro estudo sobre as espécies de Leguminosae da Paraíba foi o de DUCKE (1953), que também incluiu as espécies de Pernambuco. Mais recentemente, alguns trabalhos de florística, não direcionados para a esta família, realizados na Mata Atlântica dos estados da Paraíba (BARBOSA, 1996; PONTES, 2000; DIONÍSIO, 2002), e do Rio Grande do Norte (CESTARO, 2000) mencionam em suas listas florísticas espécies arbóreas de Leguminosae. Todavia, ainda há uma grande lacuna no conhecimento das espécies desta família para a região nordeste do Brasil, em particular para os remanescentes florestais dos estados da Paraíba e Rio Grande do Norte. Este trabalho teve como objetivo levantar as espécies arbóreas da família Leguminosae presentes em dois importantes remanescentes no extremo Norte de distribuição da Mata Atlântica, nos estados da Paraíba e Rio Grande do Norte, visando contribuir para o melhor conhecimento da família no bioma e auxiliar a identificação das espécies no campo.

MATERIAL E MÉTODOS

A Reserva Biológica (REBIO) Guaribas (6°43'11"S e 35°10'54"W), localizada no litoral norte do estado da Paraíba, nos municípios de Mamanguape e Rio Tinto, é constituída por três áreas disjuntas SEMA 1, SEMA 2 e SEMA 3 que juntas perfazem 4.321,6 ha (Decreto de Criação N° 98.884 de 25 de Janeiro de 1990). O clima na região é do tipo As', quente e úmido com estação seca no verão e chuvosa no outono inverno, segundo a classificação de Köepen. A precipitação anual média, conforme dados de 68 anos fornecidos pela SUDENE para o posto localizado em Mamanguape, é de 1.501mm. A REBIO está assentada sobre tabuleiros formados sobre sedimentos do grupo Barreiras sobre os quais encontram-se dois tipos de vegetação - a savana arbórea aberta, com ligações florísticas com o cerrado, também conhecida como "tabuleiro", que ocorre em bolsões de solo arenoso; e a floresta estacional semidecidual de terras baixas (MMA, 1994), no restante da área, onde foram concentradas as coletas botânicas.

A Reserva Particular do Patrimônio Natural (RPPN) Mata da Estrela (6°22'59"S e 35°01'20"W), localizada no município de Baía Formosa no litoral sul do Rio Grande do Norte, é propriedade da Destilaria Baía Formosa. Reconhecida como o maior remanescente florestal de Mata Atlântica do estado, conta com uma área total de 2.039,93 ha, sendo 1.888,78 ha de floresta, 81,64 ha de dunas e 69,73 ha de lagoas, em número de 19, segundo dados da empresa proprietária. No local verificam-se espécies arbóreas de grande porte, constituindo predominantemente uma mata de Restinga. A Mata foi tombada pelo Estado através da portaria n.° 460/90, e tornou-se uma RPPN através do Decreto n.° 20/2000. O clima na região é semelhante ao observado na Rebio Guaribas, e a precipitação anual média, conforme dados de 51 anos fornecidos pela Sudene para o posto mais próximo, Natal a 94 Km de distância, é de 1.495mm.

Expedições mensais para coleta aleatória de material botânico e também coleta sistemática em 10 parcelas de 10x10m em cada uma dessas áreas, foram realizadas no período de dezembro de 2003 a novembro de 2004. As parcelas foram distribuídas de maneira a cobrir a maior extensão de cada área de estudo, de modo a garantir uma amostragem significativa para a determinação da riqueza de espécies arbóreas de Leguminosae. O material coletado foi identificado e depositado no herbário Lauro Pires Xavier

(JPB) segundo as técnicas usuais de herborização (IBGE, 1991).

Além disso, foram examinadas todas as exsicatas de espécies arbóreas de Leguminosae coletadas anteriormente na REBIO Guaribas e depositadas no Herbário JPB, consultadas as coleções dos principais herbários do Nordeste com representatividade de coletas na Mata Atlântica (JPB, IPA, UFP, PEUFR, HRB, ALCB, e CEPEC) e o Herbário do Jardim Botânico do Rio de Janeiro (RB). Foram também consultadas às bases de dados sobre a flora neotropical disponibilizadas pelo New York Botanical Garden (2005) e pelo Royal Botanical Gardens, Kew (2005).

Com o intuito de elaborar uma ferramenta de uso em campo, foi construída uma chave para identificação das espécies inventariadas nas áreas de estudo. Tomou-se como critério o uso prioritário de caracteres macroscópicos e vegetativos, embora, mesmo assim, tenha sido necessário o uso de alguns caracteres das flores e dos frutos.

RESULTADOS E DISCUSSÃO

Nos levantamentos de campo e herbário foram encontradas 19 espécies arbóreas de Leguminosae na REBIO Guaribas, sendo 6 espécies pertencentes à subfamília Caesalpinioideae, 2 à Papilionoideae e 11 à Mimosoideae (Tabela 1). Na RPPN Mata Estrela, foram encontradas 10 espécies, sendo 5 Caesalpinioideae, 2 Papilionoideae e 3 Mimosoideae (Tabela 2).

A REBIO Guaribas apresentou maior riqueza de espécies, quase o dobro da RPPN Mata Estrela, o que poderia ser atribuído a um maior esforço de coleta na área, anterior a este trabalho, realizado pelo Departamento de Sistemática e Ecologia da Universidade Federal da Paraíba. Todavia, no atual trabalho, direcionado para a família, verificou-se a ocorrência de *Parkia pendula* e *Inga thibaudiana,* espécies antes não coletadas no local. Essa alta riqueza evidencia a importância do remanescente para a região.

Na RPPN Mata Estrela, onde não havia levantamento florístico sistemático anterior, encontrou-se apenas um antigo registro de *Caesalpinia echinata* no herbário do Jardim Botânico do Rio de Janeiro. Dentre as 10 espécies inventariadas, *Albizia polycephala* e *Chloroleucon acacioides* não tinham registro anterior para o estado do Rio Grande do Norte.

Algumas espécies com preferência por mata de Restinga, como *Zollernia ilicifolia* e *Copaifera duckei*, foram observadas na RPPN Mata da Estrela. Esta última espécie, com distribuição restrita a região nordeste, era conhecida apenas no estado do Ceará, mas foi recentemente citada para o Rio Grande do Norte (CESTARO, 2000). Estas duas espécies e *Inga cylindrica* não ocorreram na Reserva Biológica Guaribas.

A REBIO Guaribas, por sua vez, com maior diversidade, apresentou espécies de mata úmida e espécies de mata semidecídua como *Abarema*

Tabela 1 - Espécies arbóreas de Leguminosae presentes na Reserva Biológica Guaribas, Mamanguape, PB. * = espécies ausentes na RPPM Mata Estrela

ESPÉCIE	VOUCHER
CAESALPINIOIDEAE	
Apuleia leiocarpa (Vogel) J.F.Macbr.	G. O. Dionísio, 289
Caesalpinia echinata Lam.	G. O. Dionísio, 293
Cassia ferruginea (Schrad.) Schrad. ex DC.*	L. P. Félix & E. S. Santana, 3058
Chamaecrista ensiformis (Vell.) H.S. Irwin & Barneby	L. P. Félix & E. S. Santana, 2290
Hymenaea courbaril L. var. courbaril	G. O. Dionísio, 292
Hymenaea rubriflora Ducke*	L. P. Félix & C. A. B. Miranda
PAPILIONOIDEAE	
Bowdichia virgilioides Kunth	G. O. Dionísio, 296
Pterocarpus rohrii Vahl*	L. P. Félix & E. S. Santana, 3611
MIMOSOIDEAE	
Abarema cochliacarpos (Gomes) Barneby & J.W.Grimes*	G. O. Dionísio, 288
Abarema filamentosa (Benth.) Pittier*	L. P. Félix & E. S. Santana, 2821
Albizia polycephala (Benth.) Killip ex Record	L. P. Félix & E. S. Santana, 2625
Chloroleucon acacioides (Ducke) Barneby & J.W.Grimes	G. O. Dionísio, 291
Inga blanchetiana Benth.*	L. P. Félix & E. S. Santana, 3553
Inga capitata Desv.*	L. P. Félix & E. S. Santana, 3016
Inga laurina (Sw.) Willd. *	L. P. Félix & E. S. Santana, 2553
Inga thibaudiana DC.*	G. O. Dionísio, 294
Inga vera Willd. subsp. affinis (DC.) T.D. Penn.*	L. P. Félix & E. S. Santana
Parkia pendula (Willd.) Benth. ex Walp.*	G. O. Dionísio, 295
Pityrocarpa moniliformis (Benth.) Luckow & R.W.Jobson *	L. P. Félix & E. S. Santana

Tabela 2 - Espécies arbóreas de Leguminosae presentes na RPPN Mata Estrela, Baía Formosa, RN. * = espécies ausentes na Reserva Biológica Guaribas.

ESPÉCIE	VOUCHER
CAESALPINIOIDEAE	
Apuleia leiocarpa (Vogel) J.F.Macbr.	G. O. Dionísio, 312
Caesalpinia echinata Lam.	G. O. Dionísio, 315
Chamaecrista ensiformis (Vell.) H.S.Irwin & Barneby	G. O. Dionísio, 303
Copaifera duckei Dwyer*	G. O. Dionísio, 304
Hymenaea courbaril L. var. courbaril	G. O. Dionísio, 316
PAPILIONOIDEAE	
Bowdichia virgilioides Kunth	G. O. Dionisio, 314
Zollernia ilicifolia (Brongn.) Vogel*	G. O. Dionísio, 306
MIMOSOIDEAE	
Albizia polycephala (Benth.) Killip ex Record	G. O. Dionísio, 313
Chloroleucon acacioides (Ducke) Barneby & J.W. Grimes	G. O. Dionísio, 317
Inga cylindrica (Vell.) Mart.*	G. O. Dionísio, 311

cochliocarpos, *Abarema filamentosa*, *Pityrocarpa moniliformis*, *Bowdichia virgilioides* e *Cassia ferruginea*. Estas espécies estendem sua ocorrência para o domínio da Caatinga, com exceção das espécies do gênero *Abarema*, que estão restritas ao domínio da Mata Atlântica, sendo porém comuns em áreas abertas de restinga.

Nas duas unidades de conservação foi registrada a ocorrência de Pau-Brasil (*Caesalpinia echinata*), espécie ameaçada de extinção. As populações locais são numerosas e há indivíduos de grande porte, indicando o valor dessas áreas para conservação da espécie.

No total foram observadas para o extremo norte da Mata Atlântica 22 espécies arbóreas de Leguminosae, cujas características diferenciais podem ser verificadas na chave para a identificação das mesmas, elaborada a partir de caracteres observados no material coletado, material de herbários e em bibliografia especializada (LEWIS, 1987; GENTRY, 1993; BARROSO *et al.* 1991).

Os resultados obtidos são importantes ferramentas para futuros trabalhos florísticos na região, haja visto a escassez de informações sobre a família Leguminosae em remanescentes de Mata Atlântica na Paraíba e no Rio Grande do Norte.

Chave para a identificação das espécies arbóreas de Leguminosae ocorrentes na REBIO Guaribas e na RPPN Mata Estrela.

1 Folhas simples, unifolioladas ou bifolioladas
  2 Folhas simples .... *Zolernia ilicifolia*
  2' Folhas unifolioladas ou bifolioladas
    3 Folíolos unifoliolados, fendidos no ápice...................... *Bauhinia forficata*
    3' Folíolos bifoliolados
      4 Folhas glabras raramente pilosas no dorso, folíolos falcados, flores brancas .... *Hymenaea courbaril* var. *courbaril*
      4' Face dorsal das folhas rufo-tomentosa, folíolos não falcados de bordos revolutos, flores vermelhas .... *Hymenaea rubriflora*
1' Folhas pinadas ou bipinadas
  5 Folhas pinadas
    6 Folhas sem nectários na raque
      7 Folhas paripinadas
        8 Folíolos 5-15 pares, cartáceos com indumento ferrugíneo na face inferior, sem pontuações translúcidas................. *Cassia ferruginea*
        8'Folíolos 3-5 pares, coriáceos, glabros, com pontuações translúcidas..*Copaifera duckei*
      7' Folhas imparipinadas
        9 Flores trimeras, brancas, de simetria radial ... *Apuleia leiocarpa*
        9' Flores pentâmeras, amarelo/violáceas, de simetria bilateral
          10 Folíolos 9-21, pubescentes; flores roxas. *Bowdichia virgilioides*
          10' Folíolos 5-7, glabros; flores amarelas com parte central violácea...*Pterocarpus rohrii*

6' Folhas providas de nectários na raque
  11 Plantas com indumento denso .... *Inga blanchetiana*
  11' Plantas glabras ou pubescentes
    12 Raque foliar alado
      13 Alas da raque com mais de 2,5 mm de largura ....
      ....*Inga vera* ssp. *affinis*
      13' Alas da raque com menos de 2,5 mm de largura
        14 Folíolos 2 pares .... *Inga laurina*
        14' Folíolos 3 pares .... *Inga thibaudiana*
    12' Raque foliar não-alado
      15. Nectários no pecíolo e entre cada par de pinas.............
      ....*Chamaecrista ensiformis*
      15' Nectários apenas entre cada par de pinas
        16 Fruto cilíndrico com sutura espessa ... *Inga capitata*
        16' Fruto constricto entre as sementes..*Inga cylindrica*
5' Folhas bipinadas
  17 Folíolos maiores do que 3cm de comprimento
    18 Ramos e raque foliar com acúleos .... *Caesalpinia echinata*
    18' Ramos e raque foliar sem acúleos
      19 Folíolos assimétricos, quase retangulares, com a nervura
      principal na diagonal............................ *Abarema cochliacarpos*
      19' Folíolos simétricos, obovados, nervura principal mediana.......
      ....*Abarema filamentosa*
  17' Folíolos até 3 cm de comprimento
    20 Pinas 1-4 pares; flores em espigas; vagens moniliformes......
    ....*Pityrocarpa moniliformes*
    20'Mais de 4 pares de pinas; flores em capítulos ou glomérulos;
    vagens não moniliforme
      21 Folíolos cerca de 1 mm, vagens com valvas enrolando-se
      após abertura.. *Chloroleucon acacioides*
      21' Folíolos maiores do que 1 mm, vagens com valvas planas
      após abertura
        22 Nectários na raque isolados e entre cada par pinas,
        folhas adultas maiores do que 40 cm de comprimento.........
        ....*Parkia pendula*
        22' Nectário isolado na raque, ausente entre as pinas, folhas
        adultas menores do que 40 cm de comprimento.........
        ....*Albizia polycephala*

AGRADECIMENTOS

Agradecemos a Itamar Barbosa de Lima, Rodrigo Nely, e Maria do Socorro Pereira pelo apoio durante o trabalho de campo; ao Ibama pela concessão das licenças necessárias e autorização para pesquisa na Rebio Guaribas, e a Destilaria Baía Formosa pela autorização da pesquisa na RPPN Mata Estrela. O CNPq concedeu bolsas de mestrado e produtividade ao primeiro e ao segundo autores respectivamente.

REFERÊNCIAS

ARAÚJO, D. S. D. 1997 - Mata Atlântica: CPD Site SA14 – Cabo Frio Region, South-eastern Brazil. Pp. 373-375. In: **Centres of Plant Diversity.** V.3. WWF e IUCN, Information Press. Oxford.

ASSUMPÇÃO, J.; e NASCIMENTO, M. T. 2000 - Estrutura e composição florística de quatro formações vegetais de restinga no complexo lagunar Russaí/Iquipari, São João da Barra, RJ, Brasil. *Acta Botânica Brasílica* 14 (3): 301-315.

BARBOSA, M. R. V. 1996 - **Estudo florístico e fitossociológico da Mata do Buraquinho, remanescente de Mata Atlântica em João Pessoa, PB.** Tese de Doutorado. Universidade Estadual de Campinas, Campinas.

BARROSO, G. M.; PEIXOTO, A. L.; ICHASO, C. L. F.; COSTA, C. G.; GUIMARÃES, E. F. e LIMA, H. C. 1991 - **Sistemática de Angiospermas do Brasil.** v.2. Universidade Federal de Viçosa, Viçosa.

CESTARO, L. A. 2002 - **Fragmentos de florestas atlânticas no Rio Grande do Norte: relações estruturais, florísticas e fitogeográficas.** Tese de Doutorado. Universidade Federal de São Carlos. São Carlos.

DIONÍSIO, G. O. 2002 - **Florística e Fitossociologia do Estrato Arbóreo e Arbustivo na Reserva Particular do Patrimônio Natural Fazenda Pacatuba, Sapé – PB.** Monografia de Graduação. Universidade Federal da Paraíba, João Pessoa.

DUCKE, A. 1953 - As leguminosas de Pernambuco e Paraíba. *Memórias do Instituto Oswaldo Cruz* 51: 417-461.

GENTRY, A. H. 1993- **A field guide to the families and genera of woody plants of northwest South America (Colombia, Ecuador, Peru), with supplementary notes on herbaceous taxa.** The University of Chicago Press. Chicago.

GIULIETTI, A. M. e FORERO, E. 1990 - "Workshop" Diversidade taxonômica das Angiospermas brasileiras - Introduction. *Acta Botanica Brasilica* 4(1): 3-10.

GUEDES-BRUNI, R. R. e LIMA, H. C. 1997 - Mata Atlântica: CPD Site SA15 – Moutain Ranges of Rio de Janeiro, South-eastern Brazil. Pp. 376-380.

In: **Centres of Plant Diversity**. V.3. WWF e IUCN, Information Press. Oxford.

IBGE. 1991 - **Manuais técnicos de Geociências, Manual técnico da vegetação brasileira**. Rio de Janeiro.

LEITÃO-FILHO, H. F. e MORELLATO, L. P. C. 1997 - Mata Atlântica: CPD Site SA16 – Serra do Japi, South-eastern Brazil. Pp. 381-384. In: S. D. Davis, V. H. Heywood, O. Herera-MacBryde e A. C. Hamilton, (eds.) **Centres of Plant Diversity**. V.3. IUCN publications Unit, Cambridge.

LINS, J. R. P. e MEDEIROS, A. N. 1994 - **Mapeamento da cobertura florestal nativa lenhosa do Estado da Paraíba**. PNUD/FAO/IBAMA/PARAÍBA. João Pessoa.

LOMBARDI, J. A. e GONÇALVES, M. 2000 - Composição florística de dois remanescentes de Mata Atlântica do sudeste de Minas Gerais, Brasil. *Revista Brasileira de Botânica* 23 (3): 255-282.

MAMEDE, M. C. H.; CORDEIRO, I. e ROSSI, L. 1997 - Mata Atlântica: CPD Site SA17 – Juréia Itatins Ecological Station, South-eastern Brazil. Pp. 385-388. In: S. D. Davis, V. H. Heywood, O. Herera-MacBryde e A. C. Hamilton, (eds.) **Centres of Plant Diversity**. V.3. IUCN publications Unit, Cambridge.

MCNEELY, J. A.; MILLER, K. R.; REID, W. V.; MITTERMEIER, R. A. e WERNER, T. B. 1990 - **Conserving the World's Biological Diversity**. IUCN, Gland.

MMA e IBAMA. 1994 - **Documento de Informações Básicas – Reserva Biológica Guaribas**. Brasília.

MITTERMEIER, R. A.; FONSECA, G. A. B.; RYLANDS, A. B. e MITTERMEIER, C. G. 1999 - Atlantic Forest. Pp. 137-144. In: Mittermeier, R. A. ,Myers, N. ,Gil, P. R. e Mittermeier, C. G. (eds). **Hotspots: Earth's biologically richest and most endangered terrestrial ecoregions**. CEMEX S.A. Mexico.

NEW YORK BOTANICAL GARDEN, 2005 - **The Virtual Herbarium of The New York Botanical Garden**. Disponível em: <http://scisun.nybg.org:8890/searchdb/owa/wwwspecimen.searchform>. Acesso em: 30 jan. 2005.

PEIXOTO, A. L. e SILVA, I. M. 1997 - Mata Atlântica: CPD Site SA13 – Tabuleiro Forests of Northern Espirito Santo. Pp. 369-372. In: S. D. Davis, V. H. Heywood, O. Herera-MacBryde e A. C. Hamilton, (eds.) **Centres of Plant Diversity**. V.3. IUCN publications Unit, Cambridge.

PONTES, A. F. 2000 - **Levantamento Florístico da Mata do Amém, Cabedelo, Paraíba – Brasil**. Monografia. Curso de Ciências Biológicas, Universidade Federal da Paraíba, João Pessoa.

REDE DE ONGS MATA ATLÂNTICA; INSTITUTO SÓCIO-AMBIENTAL e SOCIEDADE NORDESTINA DE ECOLOGIA. 2001 - **Dossiê Mata Atlântica 2001**. ISA. São Paulo.

RODAL, M. J. N. e NASCIMENTO, L. M. 2002 - Levantamento florístico da floresta serrana da Reserva Biológica de Serra Negra, microrregião de Itaparica, Pernambuco, Brasil. *Acta Botânica Brasílica* 16(4): 481-500.

ROYAL BOTANICAL GARDENS, KEW, 2005 - **Northeastern Brazil Repatriation of Herbarium Data**. Disponível em: <http://www.rbgkew.org.uk/data/repatbr/homepage.html>. Acesso em: 30 jan. 2005.

SANCHEZ, M.; PEDRONI, F.; LEITÃO-FILHO, H. F. e CÉSAR, O. 1999 - Composição florística de um trecho de floresta ripária na Mata Atlântica em Picinguaba, Ubatuba, SP. *Revista Brasileira de Botânica* 22 (1): 31-42.

STRANGHETTI, V. e RANGA, N. T. 1998 - Levantamento florístico das espécies vasculares da floresta estacional mesófila semidecídua da Estação Ecológica de Paulo de Faria – SP. *Revista Brasileira de Botânica* 21 (3).

TABARELLI, M. e MANTOVANI, W. 1999 - A riqueza de espécies arbóreas na floresta atlântica de encosta no estado de São Paulo (Brasil). *Revista Brasileira de Botânica* 22 (2): 217-223.

THOMAS, W. W. 1997 - Mata Atlântica: CPD Site SA12 – Atlantic Moist Forest of Southern Bahia, South-eastern Brazil. Pp. 364-368. In: S. D. Davis, V. H. Heywood, O. Herera-MacBryde e A. C. Hamilton, (eds.) **Centres of Plant Diversity.** V.3. IUCN publications Unit, Cambridge.

Revista Nordestina de Biologia. 19(2): 25-34   30.XII.2010

FISHES OF SAPATAS REEF, NORTHEASTERN BRAZIL

Paula P. F. Honório[1]
paulahonorio_bio@yahoo.com.br
Robson T. C. Ramos[2]
robtamar@yahoo.com.br

[1]Laboratório de Peixes, Ecologia e Conservação e [2]Laboratório de Sistemática e Morfologia de Peixes, Departamento de Sistemática e Ecologia, Universidade Federal da Paraíba, João Pessoa, PB, Brasil.

RESUMO

Peixes do Recife das Sapatas, Nordeste do Brasil. O Recife das Sapatas é um recife pouco visitado localizado a 12 km da costa da cidade de João Pessoa, Paraíba, Brasil. Ele mede 200m de comprimento e 50m de largura, a uma profundidade de 19m. Está formado por uma base de arenito coberta por organismos bentônicos. Os ambientes recifais da costa do Brasil são ecossistemas ecologicamente únicos, com alta diversidade de peixes – 437 espécies, incluindo 46 endêmicas. Com métodos não-destrutivos como censos, observação direta e fotografias foi levantada a diversidade de peixes do recife das Sapatas. Um total de 93 espécies de 38 famílias foi registrado; 75% das espécies ocorrem em todo o Atlântico; 14% são endêmicas da costa brasileira e uma é endêmica do Nordeste do Brasil; 24,7% do total de espécies de peixes recifais registrado na costa do estado da Paraíba ocorrem no recife das Sapatas. Seis espécies deste recife estão incluídas em listas de espécies ameaçadas.
Palavras-Chave: Peixes recifais, Recife das Sapatas, Estado da Paraíba, Nordeste do Brasil

ABSTRACT

Fishes of Sapatas Reef, Northeastern Brazil. Sapatas is a seldom visited reef 12 km off the coast of the city of João Pessoa, Paraíba, Brazil. It measures 200m length and 50m width, at a depth of 19m. It is formed by a sandstone bed, covered by extensive growths of benthic organisms. The reef environments off the Brazilian coast are ecologically unique ecosystems where fishes are highly diverse, 437 species of reef fishes were recorded including 46 endemics. With non-destructive methods, including censuses, direct observations, and photographs, the diversity of fishes of the Sapatas Reef was surveyed. A total of 93 species of 38 families were recorded; 75% of the species occur in the entire Western Atlantic; 14% of the species are endemic to the Brazilian coast and one is endemic to northeastern Brazil; 24.7% of the total reef fishes species recorded off the Paraíba coast occurred in the Sapatas reef. Six species of this reef are included in lists of threatened species.
Key words: Reef fishes, Sapatas Reef, Paraíba State, Northeastern Brazil.

INTRODUCTION

Although they make up only 0.2% in area of the marine environment (VERON *et al.*, 2009), coral reefs are among the most biologically diverse and economically important ecosystems on the planet (ADEY 2000; HOEGH-GULDBERG, 2006; CARPENTER *et al.*, 2008). The fishes are the most conspicuous components in these communities and are responsible for energy flow in the local food webs (CHRISTENSEN and PAULY, 1993; MUMBY *et al.*, 2004; ALVAREZ-FILIP *et al.*, 2006).

The reef environments of the Brazilian coast are found along an extensive area of about 3.000km (KIKUCHI *et al.*, 2003). They are ecosystems considered ecologically unique as they were constructed in large part by calcareous algae associated with other organisms (e.g. corals, sponges, ascidians) and biologically important because of their geographic isolation (GILBERT, 1973). Fishes are highly diverse in these ecosystems. There are approximately 437 reef fish species along the Brazilian coast, including 46 endemics (FLOETER *et al.*, 2008). The reef fish communities along the northeastern coast of Brazil are of great economic and social utility to coastal communities.

Many studies examining different aspects of reef fish biology have been undertaken in Paraíba State (ROSA, 1980; RAMOS, 1994; ROSA *et al.*, 1997; ROCHA *et al.*, 1998; ROCHA and ROSA, 1999; ROCHA *et al.*, 2000; DIAS *et al.*, 2001; FEITOZA *et al.*, 2001; FEITOZA *et al.*, 2002; FEITOZA *et al.*, 2005; ILARRI, *et al.*, 2007; MEDEIROS *et al.*, 2007; NUNES and SAMPAIO, 2007; SAMPAIO *et al.*, 2007; SOUZA *et al.*, 2007; CORDEIRO, 2009; HONÓRIO *et al.*, 2010). The last authors surveyed reef fishes along the coast of the state with visual census techniques, including the fishes of the Sapatas reef. The present paper completes their data with additional censuses, photographic and observational records conducted from 2007 to 2009. This resulted in an additional list of 28 fish species.

MATERIAL AND METHODS

Sapatas Reef (07° 04'S; 34° 43'W) is formed by a sandstone bed, like other reef areas in north-eastern Brazil, covered by extensive growths of benthic organisms, especially calcareous algae, macroalgae, hydrocorals, vermetid molluscs and other macrobenthos like Zoanthidae and sponges, with rare growths of coral (Figure 1). It is a structure 200 m length and 50 m width at a depth of 19m, located 12km from the coast of João Pessoa and 21.5km from the edge of the continental shelf (HONÓRIO, 2009) (Figure 2). Tourism and artisanal fishing in the Sapatas Reef are uncommon and this reef was seldom visited before by biologists.

The fishes were identified in the field to species level according to

FIGURE 1 - Central area of the Sapatas Reef.

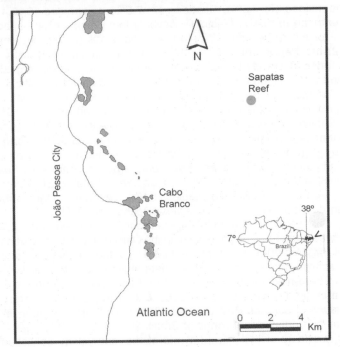

FIGURE 2 - Map showing the study site.

RANDALL (1996), HUMANN and DELOACH (2002) and ROCHA (2004). The species list was compiled from underwater observations, photographs, and 43 Stationary Visual Censuses conducted in 2007, 2008 and 2009. This census method was proposed by BOHNSACK and BANNEROT (1986), modified by VILLARREAL-CAVAZOS *et al.,* (2000) and consists of counting during a period of 15 minutes, all fishes present in observation cylinders whose radius, 5m, was established in previous pilot observations. The initial 5 minutes were dedicated exclusively for recording all the species, and the following 10 minutes for counting the individuals. Observations were made through SCUBA diving and data were recorded on PVC boards and subsequently digitalized. The photographic records are kept at the UFPB Fish Collection.

RESULTS AND DISCUSSION

A total of 93 species belonging to 38 families were recorded at the Sapatas Reef (Table 1). The most speciose families were Labridae (9 species, 9.7% of the total identified species), Serranidae (8, 8.6%), Carangidae (8, 8.6 %), Haemulidae (7, 7.5%), Scaridae (7, 7.5%), Lutjanidae (5, 5.4%) and Pomacentridae (5, 5.4%) (Table 1). Seventy four percent of the species (69 species) occur in the entire Western Atlantic, 2.1% (2) are circumtropical, 2.1% (2) are Pan Atlantic, 1.1% (1) occur in northeastern Brazil and mid-Atlantic ridge, 1.1% (1) in northwestern Atlantic and northeastern Brazilian coast and 1.1% (1) throughout western Atlantic and eastern Pacific. Fourteen percent of the species (13) are endemic to the Brazilian coast: *Apogon americanus* (Castelnau), *Lutjanus alexandrei* Moura and Lindeman, *Stegastes fuscus* (Cuvier), *Stegastes pictus* (Castelnau), *Clepticus brasiliensis* Heiser, Moura and Robertson, *Halichoeres brasiliensis* (Bloch), *Thalassoma noronhanum* (Boulenger), *Scarus trispinosus* Valenciennes, *Scarus zelindae* Moura, Figueiredo and Sazima, *Sparisoma amplum* (Ranzani), *Sparisoma axillare* (Steindachner), *Sparisoma frondosum* (Agassiz), *Elacatinus figaro* Sazima, Moura and Rosa. One species (1.1%) is endemic to the northeastern Brazilian coast: *Haemulon squamipinna* Rocha and Rosa.

Six species occurring in Sapatas reef are included in the IUCN Red List of Threatened Species (2010.1) or in the Official List of Threatened Species in Brazil (MMA, 2004). This represents 6.5 % of the total number of species, a value similar to that found on other reefs of Northeastern Brazil.

There are, approximately, 437 reef fish species along the Brazilian coast, including 46 endemics (FLOETER *et al.,* 2008). Therefore, the ichthyofauna of Sapatas Reef comprise 21.2% of all Brazilian reef fishes and 30,4% of the endemic reef fishes of Brazil.

A survey of the literature and of the ichthyology collection of the Department of Systematics and Ecology (UFPB) resulted in 376 species of

Table 1 - List of fishes of the Sapatas Reef. Families according to NELSON (2006). * = species included on the IUCN Red List of Threatened Species 2010.1 or on the Official List of Species Threatened with Extinction of the MMA (MMA, 2004).

DASYATIDAE
Dasyatis americana Hildebrand & Schroeder
MURAENIDAE
Gymnothorax funebris Ranzani
Gymnothorax miliaris (Kaup)
Gymnothorax moringa (Cuvier)
Gymnothorax vicinus (Castelnau)
Muraena pavonina Richardson
OPHICHTHIDAE
Ahlia egmontis (Jordan)
CLUPEIDAE
Opisthonema oglinum (Lesueur)
SYNODONTIDAE
Synodus intermedius (Spix & Agassiz)
Synodus synodus (Linnaeus)
BATRACHOIDIDAE
Amphichthys cryptocentrus (Valencienes)
OGCOCEPHALIDAE
Ogcocephalus vespertilio (Linnaeus)
HOLOCENTRIDAE
Holocentrus adscensionis (Osbeck)
Myripristis jacobus Cuvier
DACTYLOPTERIDAE
Dactylopterus volitans Linnaeus
SCORPAENIDAE
Scorpaena plumieri Bloch
SERRANIDAE
Cephalopholis fulva (Linnaeus)*
Diplectrum formosum (Linnaeus)
Epinephelus adscensionis (Osbeck)*
Mycteroperca bonaci (Poey)*
Rypticus saponaceus (Bloch & Schneider)
Serranus annularis (Günther)
Serranus baldwini (Evermann & Marsch)
Serranus flaviventris (Cuvier)
OPSTOGNATHIDAE
Opistognathus sp.
PRIACANTHIDAE
Heteropriacanthus cruentatus (Lacepède)
Priacanthus arenatus Cuvier
APOGONIDAE
Apogon americanus (Castelnau)

ECHENEIDAE
Echeneis naucrates Linnaeus
CARANGIDAE
Alectis ciliaris (Bloch)
Caranx bartholomaei (Cuvier)
Caranx crysos (Mitchill)
Caranx latus Agassiz
Caranxs ruber (Bloch)
Selene vomer (Linnaeus)
Trachinotus falcatus (Linnaeus)
Trachinotus goodei Jordan & Evermann
LUTJANIDAE
Lutjanus alexandrei Moura & Lindeman
Lutjanus analis (Cuvier & Valenciennes)*
Lutjanus chrysurus (Bloch)*
Lutjanus synagris (Linnaeus)
Lutjanus jocu (Bloch & Schneider)
HAEMULIDAE
Anisotremus virginicus (Linnaeus)
Haemulon aurolineatum Cuvier
Haemulon parra (Desmarest)
Haemulon plumierii (Lacépède)
Haemulon squamipinna Rocha & Rosa
Haemulon steindachneri (Jordan & Gilbert)
Orthopristis ruber (Cuvier)
SPARIDAE
Calamus pennatula Guichenot
MULLIDAE
Mulloidichthys martinicus (Cuvier)
Pseudupeneus maculatus (Bloch)
CHAETODONTIDAE
Chaetodon striatus Linnaeus
POMACANTHIDAE
Holacanthus ciliaris (Linnaeus)
Holacanthus tricolor (Bloch)
Pomacanthus paru (Bloch)
POMACENTRIDAE
Abudefduf saxatilis (Linnaeus)
Chromis multilineata (Guichenot)
Stegastes fuscus (Cuvier)
Stegastes pictus (Castelnau)
Stegastes variabilis (Castelnau)

Table - 1 continued

LABRIDAE	**EPHIPPIDAE**
Bodianus rufus (Linnaeus)	*Chaetodipterus faber* (Broussonet)
Clepticus brasiliensis Heiser, Moura & Robertson	**ACANTHURIDAE**
Halichoeres bivittatus (Bloch)	*Acanthurus bahianus* Castelnau
Halichoeres brasiliensis (Bloch)	*Acanthurus chirurgus* (Bloch)
Halichoeres dimidiatus (Agassiz)	*Acanthurus coeruleus* Bloch & Schneider
Halichoeres penrosei Starks	**SPHYRAENIDAE**
Halichoeres poeyi (Steindachner)	*Sphyraena picudilla* Poey
Thalassoma noronhanum (Boulenger)	**SCOMBRIDAE**
Xyrichtys splendens Castelnau	*Scomberomorus cavalla* (Cuvier)
SCARIDAE	*Scomberomorus regalis* (Bloch)
Cryptotomus roseus Cope	**BOTHIDAE**
Scarus trispinosus Valenciennes	*Bothus* sp.
Scarus zelindae Moura, Figueiredo & Sazima	**BALISTIDAE**
Sparisoma amplum (Ranzani)	*Balistes vetula* Linnaeus
Sparisoma axillare (Steindachne)	**MONACANTHIDAE**
Sparisoma frondosum (Agassiz)	*Cantherhines pullus* (Ranzani)
Sparisoma radians (Valenciennes)	**TETRAODONTIDAE**
GOBIIDAE	*Canthigaster figueiredoi* Moura & Castro
Elacatinus figaro Sazima, Moura & Rosa*	**DIODONTIDAE**
MALACANTHIDAE	*Diodon holacanthus* Linnaeus
Malacanthus plumieri (Bloch)	

reef fishes recorded in natural and artificial reefs along the coast of the State of Paraíba. Comparing the species richness observed in the present study with that obtained in the survey (376), we find that 24.7% of the total reef fishes species of the Paraíba coast occurred in the Sapatas reef. Comparing the species richness previously observed in the Sapatas reef (65 species) by HONÓRIO *et al.,* (2010) with the total reef fishes recorded for the coast of Paraiba (376 species), only 17.3% occurred in Sapatas reef.

It must be considered that the present Sapatas data include results of 13 more censuses than the former study published by HONÓRIO *et al.,* (2010) as well as photographic and direct observation records. The low percentage of species (24%) present in Sapatas probably reflects a high ecological diversity between the different reefs off the coast of Paraíba.

Five species are included on the IUCN Red List of Threatened Species (2010.1): *Lutjanus analis* (Cuvier andValenciennes) is classified as "Vulnerable", *Mycteroperca bonaci* (Poey) as "Near Threatened" and *Alphestes afer* (Bloch), *Cephalopholis fulva* (Linnaeus) and *Epinephelus adscensionis* (Osbeck) as "Least Concern". The species *Elacatinus figaro* is included in the Official List of Species Threatened with Extinction prepared by the Brazilian Ministry of the Environment, while *Ocyurus chrysurus* (Bloch) is listed as overexploited (MMA, 2004).

The majority of fishes observed during the surveys in Sapatas Reef were adults, a common fact on the reefs with intermediate depths (between 15 and 30m). However, we did not record large fishes and top predators that are commercially exploited. The artisanal fishing in the Sapatas Reef is apparently uncommon, but fishing activities on the adjacent reefs are historically intense. Decline in top predators reduces overall species diversity and alters the trophic structure, leading to loss of biomass and the demise of other trophic groups, also affecting adjacent communities (HEITHAUS *et al.*, 2008; KNOWLTON and JACKSON, 2008; VERON *et al.*, 2009). The deep reefs (exceeding 30 m) are one of the last refuges for large commercially exploited reef fishes off the northeastern Brazilian coast, such as snappers (Lutjanidae) and groupers (Serranidae), and globally threatened species (e.g. *Lutjanus analis*) (FEITOZA *et al.*, 2005).

The Brazilian Ministry of the Environment includes reef environments along the coast of Paraíba State among priority conservation areas (Prates, 2003).

ACKNOWLEDGMENTS

The authors thank logistic support provided by the Mar Aberto Dive School, Bertran Feitoza and Laboratório de Ictiologia of the Universidade Federal da Paraíba. This research was supported by Coordenação de Aperfeiçoamento de Pessoal de Nível Superior (CAPES) and Programa de Pós Graduação em Ciências Biológicas, Universidade Federal da Paraíba. Ricardo S. Rosa critically reviewed the manuscript.

REFERENCES

ADEY, W. H. 2000 - Coral reef Ecosystems and Human Health: Biodiversity Counts. *Ecosystem Health* 6: 227- 236.

ALVAREZ-FILIP, L., REYES-BONILLA, H. and CALDERON-AGUILERA, L. E. 2006 - Community structure of fishes in Cabo Pulmo Reef, Gulf of California. *Marine Ecology* 27: 253-262.

BOHNSACK, J. A. and BANNEROT, S. P. 1986 - A stationary visual census technique for quantitatively assessing community structure of coral reef fishes. *NOAA Technical Report NMFS* 41: 1-15.

CARPENTER, K. E., ABRAR, M., AEBY, G., ARONSON, R. B., BANKS, S., BRUCKNER, A., CHIRIBOGA, A., CORTÉS, J., DELBEEK, J. C., DEVANTIER, L., EDGAR, G. J., EDWARDS, A. J., FENNER, D., GUZMÁN, H. M., HOEKSEMA, B. W., HODGSON, G., JOHAN, O., LICUANAN, W. Y., LIVINGSTONE, S. R., LOVELL, E. R., MOORE, J. A., OBURA, D. O., OCHAVILLO, D., POLIDORO, B. A., PRECHT, H. F., QUIBILAN, M. C., REBOTON, C., RICHARDS, Z. T., ROGERS, A. D., SANCIANGCO, J.,

SHEPPARD, A., SHEPPARD, C., SMITH, J., STUART, S., TURAK, E., VERON, J. E. N., WALLACE, C., WEIL, E. and WOOD, E. 2008 - One-third of reef-building corals face elevated extinction risk from climate change and local impacts. *Science* 321: 560-563.

CHRISTENSEN, V. and PAULY, D. 1993 - **Trophic models of aquatic ecosystems**. ICLARM Conference Proceedings, Manila, 390p.

CORDEIRO, C. A. M. M. 2009 - **Estrutura da comunidade de peixes recifais do litoral sul da Paraíba**. Master's Thesis, Universidade Federal da Paraíba, 66 p.

DIAS, T. L. P., ROSA, I. L. and FEITOZA, B. M. 2001 - Food resource and habitat sharing by the three Western South Atlantic surgeonfishes (Teleostei: Acanthuridae: Acanthurus) off Paraíba coast, North-eastern Brazil. *Aqua Journal of Ichthyology and Aquatic Biology* 1: 1–10.

FEITOZA, B. M.; DIAS, T. L. P. and ROSA, R. S. 2001 - Occurrence of *Microgobius carri* Fowler 1945 (Teleostei: Gobiidae) in the coast of Paraíba, northeastern Brazil, with notes on its ecology. *Revista Nordestina de Biologia* 1: 91–96.

FEITOZA, B. M., DIAS, T. L., GASPARINI, J. L. and ROCHA, L. A. 2002 - First record of cleaning activity in the slippery dick, *Halichoeres bivittatus*. (Perciformes: Labridae), off northeastern Brazil. *Aqua Journal of Ichthyology and Aquatic Biology* 5, 73–76.

FEITOZA, B.M., ROSA, R.S. and ROCHA, L.A. 2005 - Ecology and zoogeography of deep-reef fishes in Northeastern Brazil. *Bulletin of Marine Science* 76: 725–742.

FLOETER, S. R., ROCHA, L. A., ROBERTSON, D. R., JOYEUX, J. C., SMITH-VANIZ, W. F., WIRTZ, P., EDWARDS, A. J., BARREIROS, J. P., FERREIRA, C. E. L., GASPARINI, J. L., BRITO, A., FALCÓN, J. M., BOWEN, B. W. and BERNARDI, G. 2008 - Atlantic reef fish biogeography and evolution. *Journal of Biogeography* 35: 22–47.

GILBERT, C. R. 1973 - Characteristics of the western Atlantic reef-fish fauna. *Quarterly Journal of the Florida Academy of Sciences* 35: 130-144.

HEITHAUS, M. R., FRID, A., WIRSING, A. J. and WORM, B. 2008 - Predicting ecological consequences of marine top predator declines. *Trends in Ecology and Evolution* 23: 2002-2010.

HONÓRIO, P. P. F. 2009 - **Composição e Estrutura Trófica de uma Comunidade de Peixes Recifais do Estado da Paraíba**, Brasil. Master's Thesis. Universidade Federal da Paraíba, 106 p.

HONÓRIO, P. P. F., RAMOS, R. T. C and FEITOZA, B. M. 2010 - Composition and structure of reef fish communities in Paraíba State, north-eastern Brazil. *Journal of Fish Biology* 77: 907–926.

HOEGH-GULDBERG, O. 2006 - Complexities of coral reef recovery. *Science* 311: 42-43.

HUMANN, P. and DELOACH, N. 2002 - **Reef Fish Identification Florida-Caribbean-Bahamas**. New World Publishing, Jacksonville, FL.

ILARRI, M. I., SOUZA, A. T., MEDEIROS, P. R., GREMPEL, R. G. and SAMPAIO, C. L. S. 2007 - Recife do Picãozinho: um aquário natural ameaçado. *Ciência Hoje* 4 (1): 70-72.

IUCN. 2010.1 IUCN Red List of Threatened Species. Available from: www.iucnredlist.org (accessed 23 March 2010).

KIKUCHI, R. K. P, LEÃO, Z. M. A. N., SAMPAIO, C. L. S. and TELLES, M. D. 2003 - Rapid assessment of the Abrolhos Reefs, Eastern Brazil (Part 2: fish communities). pp: 188-203. In: Lang J. C., (Ed.), **Status of Coral Reefs in the western Atlantic: Results of initial Surveys, Atlantic and Gulf Rapid Reef Assessment (AGRRA) Program**, Atoll Research Bulletin.

KNOWLTON, N. and JACKSON, J. B. C. 2008 - Shifting baselines, local impacts, and global change on coral reefs. *PLoS Biology* 6: 54.

MEDEIROS, P. R., GREMPEL, R. G., SOUZA, A. T., ILARRI, M. I. and SAMPAIO, C. L. S. 2007 - Effects of recreational activities on the fish assemblage structure in a northeastern Brazilian reef. *Pan-American Journal of Aquatic Sciences* 2: 288–300.

MMA. 2004. **Lista Nacional das Espécies de Invertebrados Aquáticos e Peixes Ameaçados de Extinção.** Instrução Normativa n° 5, de 21 de maio de 2004. Ministério do Meio Ambiente. Brasília. Diário Oficial da União, Brasília, 28 de maio de 2004.

MUMBY, P. J., EDWARDS, A. J., ARIAS-GONZÁLEZ, E., LINDEMAN, K. C., BLACKWELL, P. G., GALL A., GORCZYNSKA, M., HARBORNE, A. R., PESCOD, C. L., RENKEN, H., WABNITZ, C. C. and LLEWELLYN, G. 2004 - Mangrove enhance the biomass of coral reef fish communities in the Caribbean. *Nature* 427: 533–536.

NUNES, J. A. C. C. and SAMPAIO, C. L. S. 2007 - Notes on the ecology of the poorly known Brownstripped grunt, *Anisotremus moricandi* (Ranzani, 1842), in the coastal reefs of the Northeastern region of Brazil. *Panamerican Journal of Aquatic Sciences* 2: 2.

PRATES, A. P. 2003 - **Atlas dos Recifes de Coral nas Unidades de Conservação Brasileiras**, Mistério do Meio Ambiente/ Secretaria Nacional de Biodiversidade e Florestas, Brasília,180 p.

RAMOS, R. T. C. 1994 - Análise da composição e distribuição da fauna de peixes demersais da plataforma continental da Paraíba e estados vizinhos. *Revista Nordestina de Biologia* 9: 1–30.

RANDALL, J. E. 1996 - **Caribbean Reef Fishes**. T.N.F. Publications, Neptune City, NJ.

ROCHA, L. A. 2004 - Mitochondrial DNA and Color Pattern Variation in Three Western Atlantic *Halichoeres* (Labridae), with the Revalidation of Two Species. *Copeia* 4: 770-782.

ROCHA, L. A. and ROSA, I. L. 1999 - New species of *Haemulon* (Teleostei: Haemulidae) from Northeastern Brazilian coast. *Copeia* 447–452.

ROCHA, L. A., ROSA, I. L. and FEITOZA, B. M. 2000 - Sponge-dwelling fishes of northeastern Brazil. *Environmental Biology of Fishes* 59: 453–458.

ROCHA, L. A., ROSA, I. L. and ROSA, R. S. 1998 Peixes recifais da costa da Paraíba, Brasil. *Revista Brasileira de Zoologia* 15: 553-566.

ROSA, R. S. 1980 - Lista sistemática de peixes marinhos da Paraíba (Brasil). *Revista Nordestina de Biologia* 3: 205–226.

ROSA, R. S., ROSA, I. L. and ROCHA, L. A. 1997 - Diversidade da ictiofauna de poças de maré da praia do Cabo Branco, João Pessoa, Paraíba, Brasil. *Revista. Brasileira de Zoologia* 14: 201–212.

SAMPAIO, C. L. S., MEDEIROS, P. R., ILARRI, M. I., SOUZA, A. T. and GREMPEL, R. G. 2007 - Two unreported interspecific associations involving the hairy blenny *Labrisomus nuchipinnis* (Labrisomidae) on the south Atlantic coast. *JMBA Biodiversity Records online*.

SOUZA, A. T., ILARRI, M. I., MEDEIROS, P. R., GREMPEL, R. G., ROSA, R. S. and SAMPAIO, C. L. S. 2007 - Fishes (Elasmobranchii and Actinopterygii) of Picãozinho reef, Northeastern Brazil, with notes on their conservation status. *Zootaxa* 1608: 11–19.

VERON, J. E. N., HOEGH-GULDBERG, O., LENTON, T. M., LOUGH, J. M., OBURA, D. O., PEARCE-Kelly, P., SHEPPARD, C. R. C., SPALDING, M., STAFFORD-SMITH, M.G., and ROGERS, A.D. 2009 - The coral reef crisis: The critical importance of <350 ppm CO2. *Marine Pollution Bulletin* 58: 1428–1436.

VILLARREAL-CAVAZOS, A., REYES-BONILLA, H., BERMÚDEZ-ALMADA, B. and ARIZPE-COVARRUBIAS, O. 2000 - Los peces del arrecife de Cabo Pulmo, Golfo de California, México: Lista sistemática y aspectos de abundancia y biogeografía. *Revista de Biología Tropical* 48: 413-424.

Revista Nordestina de Biologia. 19(2): 35-43   30.XII.2010

FAZENDA TRAPSA, A REFUGE OF MAMMALIAN DIVERSITY IN SERGIPE, NORTHEASTERN BRAZIL

Renata Rocha Déda Chagas[1]
renata_deda118@hotmail.com
Eduardo M. Santos Júnior[2]
e.marques@pitheciineactiongroup.org
João Pedro Souza-Alves[1]
joao.pedro@pitheciineactiongroup.org
Stephen F. Ferrari[3]
ferrari@pq.cnpq.br

[1] Programa de Pós-graduação em Desenvolvimento e Meio Ambiente, Universidade Federal de Sergipe, São Cristóvão, SE, Brazil.
[2] Programa de Pós-graduação em Ecologia e Conservação Universidade Federal de Sergipe, São Cristóvão, SE, Brazil.
[3] Departamento de Biologia, Universidade Federal de Sergipe, São Cristóvão, SE, Brazil.

RESUMO

Fazenda Trapsa, um refúgio de diversidade de mamíferos de médio e grande porte em Sergipe, nordeste do Brasil. Trabalhos de campo recentes na Fazenda Trapsa, uma propriedade privada localizada no Estado de Sergipe, tem revelado uma diversidade inesperada de mamíferos de médio e grande porte, apesar do seu relativo isolamento, intensa fragmentação e área total de floresta limitada (<500ha). Há mais de quinze anos o proprietário tem protegido sua fauna e flora. Esta fauna inclui espécies de mamíferos ameaçadas, além de um predador alfa, *Puma concolor* (Linnaeus, 1771). Esta área também é uma das únicas três em que ocorrem em simpatria duas espécies de primatas ameaçados, *Callicebus coimbrai* Kobayashi and Langguth, 1999 e *Cebus xanthosternos* Wied-Neuwied, 1826. O local também constitui uma extensão da distribuição geográfica de *Bradypus torquatus* Desmarest, 1816. O local tem um importante papel a exercer na conservação dos ecossistemas locais, especialmente em associação com outros fragmentos maiores de florestas mais ao sul.
Palavras-chave: Mamíferos, conservação, espécies ameaçadas, Sergipe.

ABSTRACT

Fazenda Trapsa, a refuge of mammalian diversity in Sergipe, northeastern Brazil. Recent fieldwork at the Fazenda Trapsa, a privately-owned site in the Brazilian state of Sergipe has revealed an unexpected diversity of mammals, despite its relative isolation, intense fragmentation and limited total area of forest (<500ha). The property's owner has protected its fauna and flora over the past fifteen years. This fauna includes endangered species of, mammals, in addition to an alpha predator, *Puma concolor* (Linnaeus, 1771). This is also one of only three sites at which two endangered primate species – *Callicebus coimbrai* Kobayashi and

Langguth, 1999 and *Cebus xanthosternos* Wied-Neuwied, 1826 – are known to occur in sympatry. The site also constitutes an important range extension for a third endangered species, *Bradypus torquatus* Desmarest, 1816, The site clearly has an important role to play in the conservation of local ecosystems, especially in association with other larger fragments of forest further south.

Key Words: Mammals, conservation, endangered species, Sergipe.

INTRODUCTION

Less than half of the small Brazilian state of Sergipe was originally covered in Atlantic Forest, and some estimates (e.g. SIQUEIRA and RIBEIRO 2001) put the remaining cover at less than 1%, although a recent review, SANTOS (2009) has revealed that deforestation rates are similar to the average for the biome, with a little over 8% of the original cover remaining. However, this forest is distributed in isolated fragments of no more than 900 hectares, and mostly of less than 300 ha (JERUSALINSKY *et al.*, 2006).

Much of the recent conservation effort in the Atlantic Forest of Sergipe has concentrated on the primates, for a number of reasons, including their high degree of endemicity, their ecological prominence, and their potential as flagship species (OLIVEIRA *et al.*, 2008). Until very recently, very little was known of the mammalian fauna of Sergipe (see OLIVEIRA *et al.*, 2005), although the discovery of Coimbra-Filho's titi, *Callicebus coimbrai*, by KOBAYASHI and LANGGUTH (1999), in particular, has revitalized interest in the region's fauna, with often surprising results, such as the discovery of a number of dozen sites at which this species occurs (JERUSALINSKY *et al.*, 2006).

One of these sites is the Fazenda Trapsa, in the south of the state, where fieldwork has been ongoing since 2006. Preliminary observations at the site indicated a relatively rich fauna of large-bodied mammals, despite the fact that the total area of forest is of only median size, by local standards. Subsequent research at the site has revealed that this locality has considerable potential for the conservation of the region's Atlantic Forest.

Fazenda Trapsa (11°12'S, 37°14'W) is an abandoned shrimp farm in the southern Sergipe municipality of Itaporanga d'Ajuda. While the property covers a total area of some 4000 hectares, the reserve of Atlantic Forest (Figure 1) is formed by a mosaic of eight fragments, varying in some from around 20 to 120 hectares. Since 1993, the property has been located within a state environment protection area (APA Litoral Sul: GOMES *et al.*, 2006), and the owner has prohibited hunting or other exploitation of natural resources from within the forest reserve.

Given its proximity to coastal formations (Figure 1) and in particular its extremely sandy soils, the vegetation is an arboreal restinga, with a species composition typical of the Atlantic Forest (SCARANO, 2002) but a canopy rarely exceeding a height of 15 m, and abundant lianas. A reservoir extends in

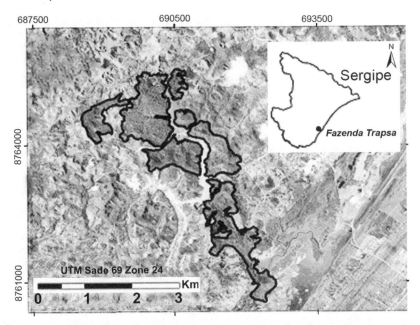

Figure 1 - Aerial photograph of the Fazenda Trapsa, Sergipe, showing the forest reserve (outlined) and reservoir (white area). The striated area to the east is the coastal plain.

a north-south direction between the fragments of forest. While the habitat has suffered some modification over recent years, such as selective logging and localized fires, it is relatively well-preserved overall, with areas of both mature and secondary forest (CHAGAS, 2009; SOUZA-ALVES, 2010).

METHODS

The collection of data on the local fauna began in September 2006, when initial surveys of the fragments were conducted, with the primary aim of assessing the local population of *Callicebus coimbrai* (SANTOS JUNIOR, 2007). Records of this species were collected with the aid of a playback system, in which a loudspeaker is used to broadcast recordings of titi vocalizations, to which the animals will normally respond by vocalizing or approaching the source of the broadcast.

Subsequently, CHAGAS (2009) conducted line transect surveys of the mammal populations in the four largest fragments at the site, covering a total distance of 476 km along eight different transects. Ongoing fieldwork at the site is focusing on the ecology and behavior of *C. coimbrai* (SOUZA-ALVES. 2010), and includes the use of camera traps at trapping stations.

Records of mammals include direct observation of individuals, recognition of vocalizations, and the identification of tracks, feces, and burrows. Identification of tracks was based BECKER and DALPONTE (1999).

RESULTS AND DISCUSSION

The surveys at Fazenda Trapsa provided records of 14 medium- to large-bodied mammal species (Table 1). All of the larger-bodied mammalian orders expected at the site were recorded. The three primate species known to occur in the region were observed at the site. The presence of *Cebus xanthosternos* (Figure 2) is important for a number of reasons, not least the fact that this species is considered to be critically endangered (KIERULFF *et al.* 2008). In addition, this site is only the third (BELTRÃO-MENDES *et al.* in press) at which this species is known to occur in syntopy with *Callicebus coimbrai*. This not only reinforces the importance of the site for the conservation of the region's mammals, but also the understanding of their ecological relationships.

In addition, the sighting of a small spotted cat (*Leopardus*) may correspond to one of the three following species that occur in the region: the relatively small-bodied margay (*L. wiedii*), the tigrina (*L. tigrinus*) and the larger ocelot (*L. pardalis*).

However, several other mammal species expected for the study area were not recorded. These species include a number of widespread and relatively common carnivores, such as tayras (*Eira barbara*), otters (*Lontra longicaudis*), and coatis (*Nasua nasua*). In particular, the coati is one of the carnivores most frequently recorded in surveys of mammals (GOMPPER and DECHER, 1998; CHIARELLO, 1999; CULLEN JR *et al.*, 2001). It remains unclear why these species were not recorded, and it is probably too early to confirm their absence from the area. The occurrence of kinkajous (*Potos flavus*) and raccoons (*Procyon cancrivorus*) was also expected in the study area, although these two species are nocturnal and are unlikely to be recorded without an appropriate methodological approach. Raccoons leave distinctive tracks, but none were observed within the study area, even though the species is known to occur in the city of Aracaju (SFF, Pers. Obs.). The white-lipped peccary (*Tayassu pecari*) is almost certainly absent from the study area due to extensive deforestation, which has provoked the disappearance of the species from most of eastern Brazil (TIEPOLO and TOMAS 2006).

A number of other species are of special interest here. One is the maned sloth, *Bradypus torquatus* (Figure 2), an endangered Atlantic Forest endemic which was thought to be extinct from Sergipe (AGUIAR 2004) until its discovery at the present study site (CHAGAS *et al.,* 2009).

Table 1 - Species list for the larger mammals recorded at Fazenda Trapsa, Sergipe. V = visual record during surveys; v = visual record outside surveys; T = tracks; F = feces; B = burrow.

Order - Family - Species	Common name	Record
ARTIODACTYLA, Cervidae		
Mazama americana (Erxleben, 1777)	Red brocket deer	V/T
CARNÍVORA, Canidae		
Cerdocyon thous (Linnaeus, 1766)	Crab-eating fox	V
Felidae		
Leopardus sp.	Wild cat	v/T
Puma concolor (Linnaeus, 1758)	Puma	T/F
LAGOMORPHA, Leporidae		
Sylvilagus brasiliensis (Linnaeus, 1758)	Tapiti/Brazilian rabbit	V
PRIMATES, Callitrichidae		
Callithrix jacchus (Linnaeus, 1758)	Common marmoset	V
Cebidae		
Cebus xanthosternos Wied-Neuwied, 1826	Yellow-breasted capuchin	V
Pitheciidae		
Callicebus coimbrai Kobayashi & Langguth, 1999	Coimbra-Filho's titi	V
RODENTIA, Agoutidae		
Agouti paca (Linnaeus, 1766)	Paca	B
Dasyproctidae		
Dasyprocta prymnolopha Wagler, 1831	Agouti	V
Caviidae		
Hydrochaeris hydrochaeris (Linnaeus, 1766)	Capybara	V
XENARTHRA, Bradipodidae		
Bradypus torquatus Desmarest, 1816	Maned sloth	V
Dasypodidae		
Dasypus novemcinctus Linnaeus, 1758	Nine-banded armadillo	V/B
Myrmecophagidae		
Tamandua tetradactyla (Linnaeus, 1758)	Collared anteater	V

The puma was perhaps the mammal least expected to occur at the site, especially considering its spatial and dietary requirements (OLIVEIRA, 1994). It is unclear whether more than one individual is present in the study area, nor what the basis of the species' diet may be, although evidence from a sequence of tracks indicates that it does prey on capybaras at this site.

A number of other, relatively large-bodied terrestrial mammals were recorded at the site, in particular the red brocket deer, but also agoutis and pacas. The presence of all these species appears to be evidence of both relatively well-preserved habitat, and the protection provided by the owner of the fazenda, who prohibits any form of hunting on the property. The lack of any evidence of hunting at the site (e.g. shotgun shells, platforms, trails) suggests that this prohibition is relatively effective, and this is almost certainly a

Figure 2 - Arboreal mammals observed at the Fazenda Trapsa, Sergipe: *Callicebus coimbrai* (A), *Cebus xanthosternos*, (B) and *Bradypus torquatus* (C).

fundamental factor in its conservation.

The Atlantic Forest of the state of Sergipe is perhaps one of the least well-known parts of the biome, and also one of the potentially most interesting, especially considering recent advances, such as the description of *Callicebus coimbrai*. The present study has returned surprising results in two main aspects. One is the presence of the endangered *Bradypus torquatus* at the Fazenda Trapsa that represent an important extension of their known present-day distributions.

The second aspect is the ecological implications of the presence at the site of a number of large-bodied species, in particular an alpha predator (*Puma concolor*). This reinforces the potential of even relatively small areas of local forest for the conservation of the local fauna (ANDRÉN, 1994). A number of larger fragments exist further south and west of the Fazenda Trapsa, and in some cases, the distances between sites are relatively short, reflecting a certain degree of connectivity among fragments, in particular for terrestrial species.

Given the results presented here, it would seem logical to orient further research at the site in two complementary directions. One is the use of appropriate trapping techniques (mechanical and camera) applied to the investigation of specific taxonomic groups. Investigation of some of these groups is already under way. The other is the study of ecological relationships among some primates and also among the larger carnivores and their prey at the site. Our results from the Fazenda Trapsa show that the region has considerable potential for conservation research

ACKNOLWEDGMENTS

We are especially grateful to Sr. Ary Ferreira for allowing us to conduct our research at the Fazenda Trapsa, and to José Elias ("Bóia") for his dedicated assistance in the field. We also thank Leandro Jerusalinsky for his collaboration. The authors were supported individually by the Deutscher Akademischer Austausch Dienst – DAAD (RRDC and JPSA), FAPITEC and IBAMA (EMSJ), and CNPq, to SFF (processes no. 302747/2008-7 and 476064/2008-2).

REFERENCES

AGUIAR, J.M. 2004 - Species discussions. *Edentata* 6: 7-26.

ANDRÉN, H. 1994 - Effects of fragmentation on birds and mammals in landscapes with different portions of suitable habitat: a review. *Oikos* 71: 366-355.

BECKER, M.; and DALPONTE, J.C. 1999 - *Rastros de mamíferos silvestres brasileiros.* Brasília, Editora UnB.

BELTRÃO-MENDES, R.; CUNHA, A.A. and FERRARI, S.F. (in press) - New localities and perspectives on the sympatry between two endangered primates (Callicebus coimbrai and Cebus xanthosternos) in northeastern Brazil. *Mammalia.*

CHAGAS, R.R.D. 2009 - Levantamentos das populações de Callicebus coimbrai Kobayashi and Langguth, 1999 em fragmentos de Mata Atlântica no sul do Estado de Sergipe, Brasil. (Msc. Dissertation). Programa de Pós-graduação em Desenvolvimento e Meio Ambiente, Universidade Federal de Sergipe, São Cristóvão.

CHIARELLO, A.G. 1999 - Effects o fragmentation of atlantic forest on mammal communities in south-eastern Brazil. *Biological Conservation* 89: 71-82.

CULLEN JR, L; BODMER, E.R. and VALLADARES-PADUA. 2001 - Ecological consequences of hunting in Atlantic forest patches, São Paulo, Brazil. *Oryx* 35: 137-144.

GOMES, L.J.; SANTANA, V. and RIBEIRO, G.T. 2006 - Unidades de conservação no estado de Sergipe. *Revista Fapese* 2: 101-112.

GOMPPER, M.E and DECHER, D.M. 1998 - *Nasua nasua. Mammalian species.* n. 580. New York, p. 1-9.

IUCN. 2006 - 2006 Red List of Threatened Species. Disponível em: http://www.iucnredlist.org.

JERUSALINSKY, L.; OLIVEIRA, M.M.; PEREIRA, R.F.; SANTANA, V.; BASTOS, P.C.R. and FERRARI, S.F. 2006 - Preliminary evaluation of the conservation status of Callicebus coimbrai Kobayashi and Langguth, 1999 in the Brazilian state of Sergipe. *Primate Conservation* 21: 25-32.

KIERULFF, M.C.M.; MENDES, S.L. and RYLANDS, A.B. 2008 - *Cebus xanthosternos.* 2008 IUCN Red List of Threatened Species. Available at http://www.iucnredlist.org/details/4074/0; accessed on 2009/07/01.

KOBAYASHI, S. and LANGGUTH, A. 1999 - *A new species of titi monkey, Callicebus Thomas, from north-eastern Brazil (Primates, Cebidae).* Revista Brasileira Zoologia 16: 531-551.

OLIVEIRA, F.F.; FERRARI, S.F. and SILVA, S.D.B. 2005 - Mamíferos não-voadores. Pp. 77-91. In: CARVALHO, C.M. and VILAR, J.C. (Eds.) **Parque Nacional Serra de Itabaiana - levantamento da Biota. Aracaju**, IBAMA, Biologia Geral e Experimental (UFS).

OLIVEIRA, P.P.; NASCIMENTO, M.T.; CARVALHO, F.A.; VILLELA, D.; KIERULFF, M.C.M.; VERULI, V.P.; LAPENTA, M.J. and SILVA, A.P. 2008 – Qualidade do hábitat na área de ocorrência do mico-leão-dourado. Pp. 14-39. In: OLIVEIRA,P.P.; GRAVITOL, A.D. and RUIZ-MIRANDA, C. (Orgs.) **Conservação do mico-leão-dourado: enfrentando os desafios de uma paisagem fragmentada.** Editora da Universidade Estadual do

Norte Fluminense Darcy Ribeiro.

OLIVEIRA, T.G. 1994 - *Neotropical cats, ecology and conservation*. EDUFMA, São Luis.

SANTOS JUNIOR, E.M. 2007 - **Observações preliminares sobre a ecologia comportamental do *Callicebus coimbrai* na Mata Atlântica de Sergipe**. (Undergraduate Dissertation) Departamento de Biologia, Universidade Federal de Sergipe, São Cristóvão.

SANTOS, A.L.C. 2009 - **Diagnóstico dos fragmentos de Mata Atlântica de Sergipe através de sensoriamento remoto.** (Msc. Dissertation). Programa de Pós-graduação em Desenvolvimento e Meio Ambiente, Universidade Federal de Sergipe, São Cristóvão.

SANTOS, C.N. 1992 - **Levantamento da mastofauna terrestre em áreas de mata ciliar da Estação Ecológica da Serra de Itabaiana–SE.** (Msc. Dissertation). Programa de Pós-graduação em Desenvolvimento e Meio Ambiente, Universidade Federal de Sergipe, São Cristóvão.

SCARANO, F.R. 2002 - Structure, function and floristic relationships of plant communities in stressful habitats marginal to the Brazilian Atlantic Rainforest. *Annals of Botany* 90:517-524.

SIQUEIRA, E.R. and RIBEIRO, F.E. 2001 - *A Mata Atlântica de Sergipe*. Embrapa Tabuleiros Costeiros, Aracaju.

SOUZA-ALVES, J.P. 2010 - **Ecologia alimentar de um grupo de Guigó-de-Coimbra-Filho (*Callicebus coimbrai* Kobayashi and Langguth, 1999): perspectivas para a conservação da espécie na paisagem fragmentada do sul de Sergipe.** (Msc. Dissertation). Programa de Pós-graduação em Desenvolvimento e Meio Ambiente, Universidade Federal de Sergipe, São Cristóvão.

TIEPOLO, L.M and TOMAS, M.T. 2006 - Ordem Artiodactyla. Pp. 283-303. In: REIS, N.R.; PERACCHI, A.L.; PEDRO, W.A. and LIMA, I.P. (Eds.) **Mamíferos do Brasil**. Londrina,

Revista Nordestina de Biologia. 19(2): 45-53   30.XII.2010

EFEITOS DO FOGO NA ESTRUTURA POPULACIONAL DE QUATRO ESPÉCIES DE PLANTAS DO CERRADO

Vagner Santiago do Vale
vsvale@hotmail.com
Sérgio Faria Lopes
defarialopes@gmail.com

Programa de Pós Graduação em Ecologia e Conservação de Recursos Naturais.
Universidade Federal de Uberlândia (Campus Umuarama). Uberlândia, MG, Brasil.

ABSTRACT

The impact of fire in the population structure of four Cerrado plant species. The presence of fire in the Cerrado is an important molder factor of the population structure of this biome. The aim of this work was to evaluate differences in the impact of frequent forest fires in the population and in the sprout (producing new shoots) of four Cerrado plant species, *Kielmeyera coriacea*, *Kielmeyera grandiflora*, *Tabebuia aurea* and *Ouratea hexasperma*, in two areas that suffered different frequencies of fire in the last 15 years in the Parque Estadual da Serra de Caldas Novas (GO). It was demarked, in each area, 50 plots of 5 x 10m, totaling 2,500 m² in each sample area. In these transects the heights of all individuals belonging to the four species was quantified and measured. The sprouts were classified as its types (aerial or underground). Each population had its structure analyzed by comparing the height of plants among the areas with the "U" test of Mann-Whitney. In the area I 243 individuals were sampled and 308 individuals in the area II. All species presented a large number of aerial sprouts by I.5m tall. However the species presented different behavior as the height necessary to produce aerial sprouts. A large number of underground sprouts were verified in all species. The population presents alteration on structure due the loose of the aerial part by successive forest fires. So, the burning events modify the structure and the composition of populations of all species since they respond in different ways to fire.
Key words: Cerrado, Fire, Top Kill, Sprouts.

RESUMO

Efeitos do fogo na estrutura populacional de quatro espécies de plantas do Cerrado. A presença do fogo no cerrado é um importante fator modelador da estrutura de populações presentes neste bioma. O objetivo do presente trabalho foi avaliar as diferenças no impacto de queimadas periódicas na população e no rebrotamento de quatro espécies vegetais do cerrado, *Kielmeyera* coriacea, *Kielmeyera Kielmeyera*, *Tabebuia aurea* e *Ouratea hexasperma*, em duas áreas que sofreram diferentes freqüências de fogo nos últimos 15 anos no Parque Estadual da Serra de Caldas Novas. Foram demarcados, em cada área, 50 parcelas de 5 m x 10 m, totalizando uma área amostral de 2500m². Nas parcelas foram quantificadas e medidas as alturas dos indivíduos das quatro espécies. As rebrotas dos indivíduos foram classificadas quanto ao tipo de rebrota (aérea ou subterrânea). Cada população teve sua estrutura analisada. O teste "U" de Mann-Whitney foi usado para comparar a altura entre as duas áreas para cada espécie. Foram amostrados 243 indivíduos na área I e 308 na área II. Todas as espécies apresentaram um número elevado de rebrotas aéreas a 1,5m de altura. Porém elas mostraram comportamentos distintos quanto a altura necessária para apresentarem rebrota aérea. Um elevado rebrote subterrâneo foi verificado em todas as espécies. A população apresenta alterações em sua estrutura por perda da parte aérea devido a queimadas sucessivas, pois cada espécie responde de maneira diferente ao fogo.

Palavras-chave: Cerrado, Fogo, Top Kill, Rebrotamento

INTRODUÇÃO

O bioma Cerrado, já ocupou aproximadamente 2 milhões de km^2 e estende-se ao longo do Planalto Central, onde sua vegetação já atingiu 24% do território nacional (RIBEIRO e WALTER, 1998). Hoje, o bioma é reconhecido pela sua alta biodiversidade, mas também por estar ameaçado pelas pressões antrópicas (FIEDLER et al., 2004); assim o Cerrado é considerado um dos grandes "hotspots" mundiais, áreas com elevado endemismo, porém com alto nível de degradação (MYERS et al., 2000).

Esta degradação é acentuada pela desenfreada ocupação agropecuária, expansão urbana e pelo uso indiscriminado do fogo (FIEDLER et al., 2004). Apesar das ações antrópicas provavelmente acentuarem a presença de fogo no bioma, as queimadas são comuns e provavelmente auxiliam a modelar o Cerrado a pelos menos 32.000 anos (DIAS et al., 1996). Devido a esta presença constante de queimadas por um longo período de tempo, muitas espécies apresentam um alto grau de resiliência pós fogo (MIRANDA et al., 2004) o que favorece uma determinada composição florística onde ocorrem eventos de fogo freqüentes (FELFILI et al., 2000). Porém, as espécies podem responder diferentemente ao fogo, o que influencia na composição das comunidades vegetais pós queima (BOND e WILGEN, 1996)

A presença de queimadas pode ter efeitos adversos na vegetação danificando sua parte aérea, o que causa perda da biomassa aérea, evento chamado "topkill". (HOFFMANN e SOLBRIG, 2003). Este fenômeno ocorre principalmente com a vegetação de menor porte, contudo mesmo as plantas com tamanho suficiente para suportar o fogo podem sofrer murcha e desfolhar a copa (DIAS et al., 1996). Caso a queimada seja freqüente em uma área, os eventos de "topkill" podem ser comuns, sendo esperado que espécies com rápido rebrotamento se perpetuem (HOFFMANN e SOLBRIG, 2003). Este rebrotamento ocorre pela presença de estruturas subterrâneas que não sofrem efeito severo do fogo (MURAMAKI e KLINK, 1996). Essas estruturas são protegidas pelo solo que apresenta baixa condutividade.

Assim, apesar da temperatura da superfície poder atingir elevados valores destruindo a parte aérea da vegetação, a cinco centímetros de profundidade, praticamente não existe alteração da temperatura (CASTRO NEVES e MIRANDA, 1996). Entretanto, eventos consecutivos de queimadas podem desfavorecer o estabelecimento dessas rebrotas (MIRANDA e SATO, 2005), dificultando assim a regeneração na área, alterando a comunidade como um todo.

Considerando a importância da presença e frequência do fogo no cerrado para a modelagem da estrutura e paisagem deste bioma, queimadas periódicas poderiam causar respostas distintas entre espécies comuns no Cerrado. Assim, este trabalho tem como objetivo avaliar as diferenças no impacto de queimadas periódicas na população e rebrotamento de *Kielmeyera coriacea* Mart. e Zucc., *Kielmeyera grandiflora* (Wawra) Saddi, *Tabebuia aurea* (*Silva Manso*) Benth. e Hook. f. ex S. Moore e *Ouratea hexasperma* (A.St. Hill) Baill. em duas áreas que sofreram diferentes freqüências de fogo nos últimos 15 anos.

MATERIAIS E MÉTODOS

O estudo foi realizado em duas áreas próximas de cerrado sentido restrito localizadas no platô do Parque Estadual da Serra de Caldas Novas (PESCAN) próximo as coordenadas 17° 47'13"S e 48°40'12"W, em uma altura de 990 metros. As áreas apresentam distintos eventos de queima, pois são separadas por uma estrada rural que tem servido de barreira ao fogo. A área I sofreu sua última queimada a mais de 10 anos, enquanto que a área II foi submetida a dois eventos de fogo nos últimos cinco anos, ocorridos em 2002 e 2006, o último ocorreu em agosto de 2006 e a coleta de dados foi realizada dois meses depois.

Foram demarcadas 50 parcelas de 5 x 10 m, totalizando uma superfície amostral de 2500 m^2 em cada área. Foram quantificadas e medidas as alturas de todos os indivíduos de *K. coriacea*, *K. grandiflora* , *O. hexasperma* e *T. aurea*. Na área queimada as plantas foram classificadas quanto ao seu rebrotamento em: indivíduos com rebrota aérea e indivíduos com rebrota subterrânea. Foram classificados como indivíduos com rebrota subterrânea aqueles onde foi visível a presença de um caule morto no local onde ocorria o rebrotamento.

O mais recente evento de fogo parece não ter sido intenso o suficiente para causar uma variação na comunidade arbórea das duas áreas (Lopes *et al.*, 2009), contudo as camadas inferiores da vegetação foram afetadas com maior severidade, assim apenas os indivíduos com altura inferior a 3 m foram incluídos neste estudo. Foi realizado o teste "U" de Mann-Whitney para testar se há diferenças entre a abundância de indivíduos nas parcelas.

A análise da estrutura populacional das quatro espécies consistiu na elaboração de histogramas, cujos intervalos de classe foram definidos pela fórmula A/K, onde A representa a amplitude para a altura e K é definido pelo algoritmo de Sturges: $K = 1 + 3,3 \times logN$, onde N é o número de indivíduos amostrados (PAIXÃO, 1993). Não foi analisada a estrutura populacional de *K. grandiflora* na área I devido seu baixo número de indivíduos amostrados. Foi realizado o teste "U" de Mann-Whitney (com utilização do programa Systat 10.2), para comparar a altura entre as áreas com cada espécie, a fim de se verificar qual o efeito do impacto das queimadas na estrutura de cada população.

RESULTADOS E DISCUSSÃO

Foram amostrados 243 indivíduos na área I (não queimada) e 308 na área II (queimada). Todas as espécies apresentaram rebrotamento aéreo e subterrâneo, porém há uma concentração de indivíduos nas duas primeiras classes de altura (Tabela 1), este número é explicado pelo elevado rebrote subterrâneo. Apesar de queimadas serem severas para a parte superficial, nas camadas mais profundas o fogo não consegue conduzir calor, não afetando as partes subterrâneas dos vegetais (MURAMAKI e KLINK, 1996). Ainda assim, o teste de Mann Whitney demonstrou que as espécies variaram quando ao número de indivíduos nas áreas. Enquanto *K. coriacea* apresentou maior abundancia na área I ($U = 197,50$, $p < 0,05$, $gl = 1$), *K. grandiflora* foi mais abundante na área II ($U = 510,00$, $p < 0,001$, $gl = 1$) e *T. aurea* e *O. hexasperma* não apresentaram diferenças significativas entre as duas áreas ($U = 276,50$ e $U\ 215,50$, $p > 0,05$, $gl = 1$ para ambas as espécies). A menor abundancia de *K. coriacea* na área queimada deve indicar uma menor adaptabilidade a freqüentes queimas desta espécie em relação as outras três. Já a abundância de *K. grandiflora* na área queimada indica a capacidade desta espécie em se manter e colonizar ambientes com presença constante de fogo.

Em *Kielmeyera coriacea*, a maioria das rebrotas subterrâneas foram encontradas com altura variando entre 25 e 75cm. Esta espécie apresentou o mais rápido crescimento proveniente de rebrotas subterrâneas em relação às demais. Nas outras espécies, as rebrotas raramente ultrapassaram 50cm de altura e nenhum indivíduo com rebrota subterrânea acima de 1,0m de altura. O rápido rebrote subterrâneo após perda da parte aérea parece ser a principal estratégia utilizada por esta espécie para sua manutenção em eventos de queima sucessiva. Por esse rebrote rápido, apesar de haver eventos de queima a mais de 10 anos na área II, esta espécie possui alta freqüência e densidade de indivíduos adultos (LOPES *et al.*, 2009). No entanto a menor densidade de indivíduos na área II sugere que esta espécie tem menor capacidade competitiva que as outras três, quando submetida a

Tabela 1 - Numero de rebrotamentos, freqüência relativa em % (entre parêntesis) e valores do teste U de Mann Whitney em quatro espécies de plantas do cerrado sentido restrito do Parque Estadual da Serra de Caldas Novas.

Espécies	Rebrota Subterrânea	Rebrota Aérea	U	p (gl=1)
Kielmeyera coriacea	47(61,1)	22 (31,8)	2393,00	p = 0.012
Kielmeyera grandiflora	44 (60,2)	29 (39,7)	-	-
Tabebuia aurea	32 (22,8)	108 (77,1)	7848,50	p = 0.131
Ouratea hexasperma	10 (38,4)	16 (61,5)	447,00	p = 0.211

eventos freqüentes de queima.

Todas as espécies apresentaram um número elevado de rebrotas aéreas a 1,5 m de altura (Tabela 1). As espécies que apresentaram os maiores valores de rebrotas aéreas em relação ao total de rebrotas encontradas foram *T. aurea* e *O. hexasperma* (Tabela 2). É provável que grande parte dos indivíduos com alturas menores de 1,5 m tenham perdido a parte aérea e começado um rebrote subterrâneo ou mesmo morrido. Em estudo realizado com queimadas anuais, MEDEIROS e MIRANDA (2005) encontraram altas taxas de "topkill" entre 1,0 m e 1,5 m de altura. No entanto estas duas foram as espécies que apresentaram maior rebrote aéreo (Figura 1). O rebrote aéreo pode ser considerado uma vantagem adaptativa para essas espécies, pois as torna menos sensíveis em casos de maior freqüência de fogo. Por isso a distribuição de classes de altura na área queimada e não queimada destas espécies não apresentaram diferenças significativas (Tabela 1).

Apesar da maioria das rebrotas aéreas terem sido encontradas próximo a 1,5 m de altura; as espécies apresentaram comportamentos distintos quanto à altura necessária para a manutenção da biomassa caulinar e conseqüente rebrota aérea. Em *K. coriacea*, apenas 6,0% das rebrotas aéreas foram encontradas em plantas com altura inferior a 1,0m de altura. Este valor foi muito superior nas demais espécies (Tabela 1). Assim, os indivíduos de *K. coriacea* menores de 1,0 m, podem estar mais propensos a sofrerem danos letais a sua estrutura aérea e não apresentar rebrotes aéreos. Já em *T. aurea* e *O. hexasperma* todos os indivíduos com altura superior a 55 cm já possuíam rebrotas aéreas; assim, mesmo indivíduos de pequeno tamanho têm capacidade de manter sua biomassa aérea podendo investir apenas na produção de folhas após eventos de queima. Assim, estas duas espécies possuem estratégias diferentes para suportar constantes queimas em relação á *K. coriacea*.

A estrutura das populações na área I e na área II não apresentou diferenças significativas, exceto para *K. coriacea*. Novamente, esta espécie

Tabela 2 - Distribuição, em classes de altura de *Kielmeyera coriacea*, *Tabebuia aurea*, *Ouratea hexasperma* e *Kielmeyera grandiflora*, em cerrado sentido restrito, na área I – não queimada (Ñq) e na área II – queimada (**Q**) no Parque Estadual da Serra de Caldas Novas.

T. aurea			*K.coriacea*			*O. hexasperma*			*K.grandiflora*	
Classes de altura	Ñq	Q	Classes de altura	Ñq	Q	Classes de altura	Ñq	Q	Classes de altura	Q
0-34	18	28	0-35	14	12	0-33	2	8	0-35	34
35-68	21	13	36-70	19	35	34-66	10	2	36-70	18
69-102	5	7	71-105	14	3	67-99	7	4	71-105	1
103-136	4	8	106-140	7	0	100-132	7	3	106-140	3
137-170	24	29	141-175	13	7	133-165	10	5	141-175	9
171-204	11	17	176-210	9	3	166-198	4	2	176-210	2
205-238	5	16	211-245	7	3	199-231	2	2	211-245	2
239-272	7	11	245-280	6	4				246-280	1
273-300	4	11	281-300	2	2				281-300	3

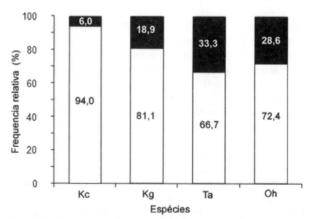

Figura 1 - Freqüência relativa de rebrotas aéreas e subterrâneas com altura ≤ 1 metro, para quatro espécies em cerrado sentido restrito do PESCAN: □ = porcentagem de rebrotas aéreas; ■ = porcentagem de rebrotas subterrâneas; **Kc** = *Kielmeyera coriacea*; **Kg** = *Kielmeyera grandiflora*; **Ta**= *Tabebuia aurea*; **Oh** = *Ouratea hexasperma*.

parece sofrer mais com o efeito de queimadas freqüentes, sobretudo em indivíduos com altura inferior a 1,5m (Tabela 1). Nota-se nesta tabela 1 a ausência de indivíduos com altura entre 105 cm e 140 cm; foi *observado* no campo que os organismos desta faixa sofreram "top kill" e morreram ou reiniciaram seu crescimento do solo. De qualquer maneira a estrutura desta população foi bastante alterada. Além disso, indivíduos com rebrote subterrâneo podem estar mais susceptíveis a fatores bióticos como herbivoria, sombreamento e competição já que OLIVEIRA e MARQUIS (1998), por exemplo, reportaram mortalidade *K. coriacea*, após queimada, por herbivoria e falta de nutrientes.

K. grandiflora, foi pouco abundante na área I, no entanto, na área II foi presente em maior número. Este fato foi notado para indivíduos adultos também por LOPES *et al.* (2009). Em estudo realizado em área queimada em cerrado sentido restrito verificou-se um aumento no número de indivíduos de *K. grandiflora* três anos após incêndio (FIEDLER *et al.*, 2004), este fato sugere que a espécie pode colonizar áreas após uma queimada, provavelmente devido ao seu rápido crescimento subterrâneo pós queima. O mesmo podemos observar neste estudo; na área I (sem queima a pelo menos 10 anos), a sua presença foi baixa, enquanto que na área II (com 2 queimadas nos últimos 5 anos) a população de *K. grandiflora* obteve uma maior abundância com grande maioria dos indivíduos provindos de rebrotas subterrâneas. Quando comparada com *K. coriacea*, esta espécie também apresentou mais eventos de rebrote aéreo após a queima da parte superior da planta (18,9% contra 6,0%, Figura 1). Assim *K. grandiflora*, além de possuir um rápido rebrote subterrâneo (semelhante a K. coriacea) pode ser beneficiada com a presença constante do fogo pela maior capacidade de rebrote aéreo mesmo em baixas alturas (semelhante a *T. aurea* e *O. hexasperma*). Estas duas vantagens conferem á *K. grandiflora* um alto poder de colonização em áreas com presença constante de fogo, como perceptível no PESCAN.

As espécies analisadas sofreram os efeitos das queimadas principalmente nas camadas inferiores a 1,5 m. Um alto número de rebrotamentos subterrâneos e poucos indivíduos próximos a 1,0 m sugerem que, em decorrência do fogo, boa parte das plantas pequenas sofrem "topkill". Provavelmente este fato ocorra porque a 60 cm do solo a temperatura pode atingir níveis elevados ultrapassando 600°C (MIRANDA *et al.*, 1996). Esta remoção da parte aérea modifica as populações, sobretudo nas camadas inferiores, alterando a comunidade futura como um todo e acelerando modificações na composição da comunidade.

Mesmo que eventos de fogo freqüentes em comunidades vegetais do Cerrado afetem essas quatro espécies, as respostas de cada espécie a essas queimadas são diferentes. *Kielmeyera coriacea* apresenta lento crescimento a partir de estruturas subterrâneas após "topkill" (sendo assim a mais prejudicada por eventos sucessíveis de fogo), *T. grandiflora* possui crescimento rápido a partir de estruturas subterrâneas após "topkill" e *T. aurea* e *O. hexasperma* apresentam maior rebrote aéreo após queima. Estas ultimas três espécies são mais tolerantes ao fogo, apesar de possuírem meios diferentes de sobreviver ás queimadas. Apesar da área não queimada (área I) e queimada (área II) não apresentarem fortes diferenças estruturais no nível de comunidades (*LOPES et al.*, 2009) as diferentes respostas destas espécies a presença de fogo pode indicar mudanças pouco perceptíveis em análises de comunidades. Estudos com populações, no entanto, podem indicar diferentes estratégias adaptativas das espécies e sugerir mudanças em longo prazo caso eventos como o fogo sejam recorrentes. Assim a presença e freqüência de fogo parecem influenciar na estrutura de populações de diferentes espécies e ter um efeito futuro nas comunidades de plantas arbóreas do Cerrado. Tal fato foi demonstrado pela diferença de abundancia e estrutura populacional das espécies na área queimada e não queimada.

AGRADECIMENTOS

Daniel Mesquita teve a gentileza de revisar o manuscrito.

REFERÊNCIAS BIBLIOGRÁFICAS

BOND, W. J. e WILGEN, B. W. 1996 - **Fire and plants**. Chapman e Hall, New York. 263 p.

CASTRO NEVES B. M. e MIRANDA, H. S. 1996 - Efeitos do fogo no regime térmico do solo de um campo sujo de cerrado. In: MIRANDA, H. S.; SAITO, C. H. e DIAS, B. F. S (Eds.) **Impactos de queimadas em áreas de cerrado e restinga.** Universidade de Brasília, Brasília. 187 p.

DIAS, I. F. O.; MIRANDA, A. C.; e MIRANDA, H. S. 1996 - Efeitos de queimadas no microclima de solos de campos de cerrado In: MIRANDA, H.S.; SAITO, C.H. e DIAS, B.F.S. (Eds.) **Impactos de queimadas em áreas de cerrado e restinga.** Universidade de Brasilia, Brasília. 187p.

FELFILI, J. M.; REZENDE, A. V.; SILVA JÚNIOR, M. C. e SILVA, M. A. 2000 - Changes in the floristic.composition of cerrado sensu strictu in Brazil over nine-year period. *Journal of Tropical Ecology* 16: 579-590.

FIEDLER, N. C.; AZEVEDO, I. N. C.; REZENDE, A. V.; MEDEIROS, M. B. e VENTUROILI, F. 2004 - Eeito de incêndios florestais na estrutura e composição florística de uma área de cerrado *sensu* strictu na Fazenda Água Limpa – DF. *Revista Árvore* 28:129-138.

HOFFMANN, W. A. e SOLBRIG, O. T. 2003 - The role of topkill in the differential response of savanna woody species to fire. *Forest Ecology and Management* 180: 273–286

LOPES, S. F.; VALE, V. S. e SCHIAVINI, I. 2009 - Efeito de queimadas sobre a estrutura e composição da comunidade vegetal lenhosa do cerrado sentido restrito em caldas novas, GO. *Revista Árvore* 33: 695-704.

MEDEIROS, M. B. e MIRANDA, H. S. 2005 - Mortalidade pós-fogo em espécies lenhosas de campo sujo submetido a três queimadas prescritas anuais. *Acta Botânica Brasileira* 19(3): 493-500.

MIRANDA, H. S. e SATO, M. N. 2005 - Efeitos do fogo sobre a vegetação lenhosa do cerrado. In: SCARLOT, A.; SOUZA-SILVA, J.C. e FELFILI, J.M. (Eds.) **Cerrado: Ecologia, Biodiversidade e Conservação.** Ministério do Meio Ambiente, Brasília. 439p.

MIRANDA, H. S.; SATO, M. N.; ANDRADE, S. M. A.; HARIDASAN, M. e MORAIS, H. C. 2004 - Queimadas de Cerrado: caracterização e impactos. Pp.69-123. In: AGUIAR, L. M. S. e CAMARGO, A. J. A. (Eds.) **Cerrado: Ecologia e Caracterização.** Planaltina, Embrapa Cerrados, Planaltina.

MIRANDA, H. S.; ROCHA e SILVA, E. P. e MIRANDA, A. C. 1996 - Comportamento do fogo em queimadas de campo sujo. In: MIRANDA, H. S.; SAITO, C. H. e DIAS, B. F. S.(Eds.) **Impacto de Queimadas em Área de Cerrado e Restinga.** Universidade de Brasília, Brasília. 187p.

MURAMAKI, E. A. e KLINK, A. 1996 - Efeito do fogo na dinâmica de crescimento e reprodução de Echinolaena inflexa (Poiret) Chase (Poaceae). In: MIRANDA, H. S.; SAITO, C. H. e DIAS, B. F. S. (Eds.) **Impactos de queimadas em áreas de cerrado e restinga.** Universidade de Brasilia, Brasília. 187p.

MYERS, N.; MITTERMEIER, R. A.; MITTERMEIER, C. G.; FONSECA, G. A. B. e KENT, J. 2000 - Biodiversity hotspots for conservation priorities. *Nature* 403: 853–858.

OLIVEIRA, P. S. e MARQUIS, O. R. 2002 - The Cerrados of Brazil: Ecology and Natural History of a Neotropical Savanna. Columbia University Press, New York. 367p.

PAIXÃO, I. L. S. C. 1993 - **Estrutura e dinâmica de populações de espécies arbustivo-arbóreas das vertentes norte e sul do Morro da Boa Vista, Maciço da Tijuca – RJ.** Tese de Doutorado (Ecologia). UNICAMP. Campinas.

RIBEIRO, J. F. e WALTER, B. M. T. 1998 - Fitofisionomias do Bioma Cerrado. Pp: 90-166. In: SANO, S. M.; ALMEIDA, S. P (Eds). **Cerrado: ambiente e flora.** Editora Embrapa, Distrito Federal.

Revista Nordestina de Biologia. 19(2): 55-76   30.XII.2010

POGONOPHORA (SIBOGLINIDAE) ARE NOT POLYCHAETES: A SYSTEMIC VIEW OF METAMERIAN ANIMALS

José Eriberto de Assis
eri.assis@gmail.com
Martin Lindsey Christoffersen
mlchrist@dse.ufpb.br

Programa de Pós-Graduação em Ciências Biológicas (Zoologia), e Departamento de Sistemática e Ecologia, CCEN, Universidade Federal da Paraíba, João Pessoa, PB, Brasil

RESUMO

Pogonophora (Siboglinidae) não são poliquetas: uma visão sistêmica dos animais metaméricos. Trabalhos recentes têm revisado a história dos pogonóforos com o paradigma cladístico, e concluem que este grupo não mais representa um táxon deuterostomado, mas constitui uma simples família de poliquetas, os Siboglinidae. Entretanto, alguns autores estranhamente omitiram capítulos recentes em sua revisão histórica. Primeiro, eles ignoraram opiniões contrárias que indicam que Annelida e Polychaeta são parafiléticos. Numa abordagem sistêmica, tanto anelídeos como poliquetas devem ser referidos a um clado mais abrangente, os Metameria. Nesta perspectiva, faz pouco sentido considerar Siboglinidae como pertencente ao táxon não existente "Polychaeta". Segundo, nós reforçamos que há fortes evidências, não citadas por autores recentes, de que pogonóforos representam um clado transicional entre vermes metaméricos esquizocélicos (Oweniidae em particular), e radiálios oligoméricos enterocélicos. Os principais caracteres discutidos aqui, que estabelecem relacionamentos entre poliquetas, pogonóforos e deuterostômios são: 1) sistema nervoso; 2) padrão de clivagem e celoma; 3) tagmose e redução de segmentos; 4) desenvolvimento assimétrico; 5) larva modificada. A história não pode ser feita ignorando evidências contrárias. Por isso, adicionamos uma discussão sobre a história dos pogonóforos (ou Siboglinidae), baseado em uma sistemática filogenética sustentada pelos princípios de Hennig.
Palavras-chave: Metameria, poliquetas, pogonofóros, deuterostômios, clado de transição.

ABSTRACT

Pogonophora (Siboglinidae) are not polychaetes: a systems view of the metameric animals. Recent papers have reviewed the history of pogonophores with the cladistic paradigm, and conclude that this group no longer represents a deuterostome taxon, but consists of a single clade of polychaetes, the Siboglinidae. However, some authors strangely skip some chapters in their historical review. First, they ignore recent alternative opinions, which indicate that Annelida and Polychaeta are paraphyletic. Under a systemic approach, both annelids and polychaetes must be referred to a much larger clade, the Metameria. Under this perspective, it makes little sense to consider Siboglinidae as belonging to the nonexistent taxon "Polychaeta". Second, we reinforce that there is strong evidence, not cited by the recent references, that pogonophores represent a transitional clade between schizocoelous metamerian worms (Oweniidae in particular), and enterocoelous oligomerian radialians. The main characters discussed herein that establish relationships among polychaetes, pogonophores, and deuterostomes are: 1) nervous system; 2) cleavage pattern, and coelom; 3) tagmosis, and reduction of segments; 4) asymmetrical development; 5) modified larva. History cannot be made by ignoring contrary evidence, so we conclude discussing the history of Pogonophora (or Siboglinidae), based on phylogenetic systematics under Hennigian principles.

Key words: Metameria, Polychaetes, Pogonophores, Deuterostomes, transitional clade.

INTRODUCTION

The taxonomy and phylogenetic position of Pogonophora, including Frenulata, Monilifera (which including *Sclerolinum* and Vestimentifera), and recent *Osedax*, has been debated since their discovery by French biologist Maurice Caullery, in 1914, which described a long slender tube living worm.

Several important papers on histology (CAULLERY, 1914; USCHAKOV, 1933; JOHANSSON, 1937, 1939; BEKLEMISHEV, 1944; IVANOV, 1955, 1963; WEBB, 1964; JONES, 1985a, b, MAÑÉ-GRAZÓN and MONTERO, 1985; SOUTHWARD, 1993; SCHULZE, 2001, 2002; MATSUNO and SASAYAMA, 2002; SASAYAMA *et al.*, 2003), blood biochemisty (SOUTHWARD and SOUTHWARD, 1963; MILL, 1972; TERWILLIGER *et al.*, 1987; SUZUKI *et al.*, 1989), and ontogeny (JÄGERSTEN, 1957; NØRREVANG, 1970a; SOUTHWARD, 1975; IVANOV and GUREEVA, 1976; GUREEVA, 1979; GUREEVA and IVANOV, 1986; IVANOV, 1988; YOUNG *et al.*, 1996), were motivated by the desire to clarify obscure aspects of these worms and to place these animals among the Metazoa.

Notwithstanding these efforts, a consensus has not been reached on whether: (1) pogonophores represent an independent Phylum within Protostomia (JONES, 1985a, b, SOUTHWARD, 1975); (2) pogonophores represent an independent phylum within Deuterostomia (JOHANSSON, 1937, 1939; JÄGERSTEN, 1957; HYMAN, 1959; AX, 1960; IVANOV, 1960, 1975a, b, 1988; ULRICH, 1972; SIEWING, 1975; MALAKHOV *et al.*, 1997; IVANOVA-KAZAS, 2007); (3) these worms must be reduced to a family among the polychaete worms - Siboglinidae (ROUSE and FAUCHALD, 1995, 1997; ROUSE, 2001; SCHULZE, 2003; BARTOLOMAEUS *et al.*, 2005, PLEIJEL *et al.*, 2009); or (4) pogonophores emerge from a common connecting link between advanced coelomate gastroneuralian and oligomeran organization (LIVANOV and PORFIREVA, 1965, 1967; SALVINI-PLAWEN, 1982, 1998, 2000; SMITH *et al.*, 1987; CHRISTOFFERSEN and ARAÚJO-DE-ALMEIDA, 1994, ALMEIDA and CHRISTOFFERSEN, 2001; ALMEIDA *et al.*, 2003).

The aims of this paper are to present five points of view regarding the phylogenetic position of the pogonophores, and to support the view which we consider most coherent in an evolutionary context: that pogonophores represent a transitional clade between oligomeric Radialia (Phoronida + Deuterostomia), with three anterior enterocoelic tagma (tricoelomate pattern), and multimetameric polychaetes, with a schizocoelic pattern (multicoelomate pattern), such as is still found in the opisthosome of pogonophores.

COMPLEMENTING THE HISTORICAL ACCOUNT

Recent papers pointed a new concept of the pogonophores, arguing for their placement as a monophyletic family within the Polychaeta. However, because their essay was presented as a historical account of the group, we were surprised not to find mention of recent authors who defend an alternative point of view. Several papers explicitly reject considering pogonophores a family of polychaetes (RIEDL, 1963; GARDINER, 1978; CHRISTOFFERSEN and ARAÚJO-DE-ALMEIDA, 1994; SOUTHWARD, 1999, 2000; SMIRNOV, 2000a, b; ALMEIDA and CHRISTOFFERSEN, 2001; SOUTHWARD et al., 2002; MATSUNO and SASAYAMA, 2002; SASAYAMA, et al., 2003; ALMEIDA et al., 2003; KOJIMA et al., 2002, 2003; IVANOVA-KAZAS, 2007).

Others further sustain that, because of their oligomeric organization into anterior body tagmas, pogonophores represent an clade of Deuterostomia (JOHANSSON, 1937, 1939; JÄGERSTEN, 1957; IVANOV, 1960, 1963, 1975a, b; IVANOVA-KAZAS, 2007), or a clade intermediary between paraphyletic polychaetes (more closely related to the oweniids or, even more specifically, to Owenia fusiformis) and the Radialia (Phoronida + Deuterostomia) (RIEDL, 1963; LIVANOV and PORFIREVA, 1965, 1967; ULRICH, 1972; SIEWING, 1975; GARDINER, 1978; MALAKHOV et al., 1997; SALVINI-PLAWEN, 1982, 1998, 2000; SMITH et al., 1987; CHRISTOFFERSEN and ARAÚJO-DE-ALMEIDA, 1994; ALMEIDA and CHRISTOFFERSEN, 2001; ALMEIDA et al., 2003).

Some authors aimed to resolve dissent by furnishing a new authoritative chapter on the evolutionary history of these animals. However, they do not refute some arguments that have been discussed more recently in the primary literature. In their historical review, they consider mainly the formation of the nervous system and of the coelom, but it is possible to interpret their conclusions differently. Before considering these and other characters, we posit the following reflection: How can pogonophores belong to Polychaeta if both Polychaeta and Annelida represent paraphyletic taxa?

The monophyly of Annelida and Polychaeta remain inconclusive or has been definitively rejected based on several studies involving morphology (CHRISTOFFERSEN and ARAÚJO-DE-ALMEIDA, 1994; NIELSEN, 1995; EIBYE-JACOBSEN, 1996; WESTHEIDE, 1997; ALMEIDA and

CHRISTOFFERSEN, 2001; ALMEIDA *et al.*, 2003; PURSCHKE *et al.*, 2000), and molecules such as 18S rRNA (BLEIDORN *et al.*, 2003a, 2003b), EF1Ü (MCHUGH, 1997, 2000; KOJIMA, 1998), 18S rRNA in combination with histone H3, U2, snRNA, and gene fragments (JENNINGS and HALANYCH, 2005, BLEIDORN *et al.*, 2006), or 18S rRNA in combination with other genes fragments such as 28S rRNA, 16S rRNA, histone H3 or cox1 (ROUSSET *et al.*, 2004, 2007; COLGAN *et al.*, 2006).

CHRISTOFFERSEN and ARAÚJO-DE-ALMEIDA (1994) reconstructed the phylogeny of Enterocoela and questioned the monophyly of Annelida and Polychaeta, proposing that the smallest clade that contains all animals previously referred to as polychaetes should be named Metameria. They further positioned pogonophores as the sister group of Radialia (Phoronida + Deuterostomia) (Figure 1A). These results were further corroborated by ALMEIDA and CHRISTOFFERSEN (2001), and ALMEIDA *et al.* (2003). In this last paper, four main lineages of Metameria were established: 1 – Echiura, with an uncertain position within polychaetes (NIELSEN, 1995; EIBYE-JACOBSEN, 1996; MCHUGH, 1997), although Sternaspidae has been suggested as the most likely sister group (ALMEIDA and CHRISTOFFERSEN, 2001, ALMEIDA *et al.*, 2003). Presently, phylogenetic analyses with morphological and molecular data indicate that echiurans are related to Capitellida (STRUCK and PURSCHKE, 2005; COLGAN *et al.*, 2006; and ROUSSET *et al.*, 2007), that echiurans are the sister-taxon of *Capitella*, and that sipunculans are placed among other annelids (DUNN *et al.*, 2008). In previous analyses, sipunculans appeared as the sister-taxon of mollusks, at the base of annelids (HALANICH, 2004); 2 – Ecdysozoa, including Arthropoda, a lineage in which arthropodia were hypothetized to be derived from the parapodia of polychaetes (WALTON, 1927; MANTON, 1977), and homologies have been suggested between the elytrae of the Aphroditiformia and the dorsal plates of marine lobopodians (DZIK and KRUMBIEGEL, 1989), suggestions that have been further developed in ALMEIDA and CHRISTOFFERSEN (2001) and ALMEIDA *et al.* (2003, 2008); 3 – Clitellata, which is strictly related to Questidae (ALMEIDA and CHRISTOFFERSEN, 2001; ALMEIDA *et al.*, 2003; GARRAFFONI and AMORIM, 2003; CHRISTOFFERSEN, 2009), 4 – pogonophores, a lineage derived from sedentary tubicolous polychaetes such as *Owenia* and related to the oligomeric animals, the radialians (Figure 1B) (GARDINER, 1978; SALVINI-PLAWEN, 1982, 1998, 2000; SMITH *et al.*, 1987; CHRISTOFFERSEN and ARAÚJO-DE-ALMEIDA, 1994; ALMEIDA and CHRISTOFFERSEN, 2001; ALMEIDA *et al.*, 2003).

An important series of papers on the ontogeny of the neuropodial chaetae were published by BARTOLOMAEUS (1995, 1996). These authors compared the uncini of several polychaetes with those of pogonophores, concluding that the clades Oweniida, Terebellida, Pogonophora and Sabellida are strictly related.

ROUSE and FAUCHALD (1995, 1997) were the first to establish

pogonophores as a family of polychaetes, on the basis of a cladistic analysis of morphological characters. They renamed the pogonophores as Siboglinidae and placed them together with Sabellariidae, Sabellidae, Serpulidae, and the more basal Oweniidae, within the Sabellida. The latter taxon was based on the following synapomorphies: a limited fusion of the prostomium and the peristomium, and a peristomium that is not limited exclusively to the lips. However, the first of these characters is homoplastic in other polychaetes and the second represents a reduction of an earlier evolved character, making both characters inconsistent to support a valid clade (BARTOLOMAEUS et al., 2005).

ROUSE (2001) provided further cladistic data to support the inclusion of pogonophores and vetimentiferans as a family of polychaetes. SCHULZE (2003) conducted a phylogenetic analysis of Vestimentifera, also accepting the Siboglinidae. BARTOLOMAEUS et al. (2005) established Sabellida (including Sabellidae and Serpulidae) as the sister group of pogonophores, on the basis of the following synapomorphies: nephridia in segment 2 and presence of dorsal nephridiopores. ROUSSET et al. (2007) argued, on the basis of a molecular phylogeny of 28S rRNA, 16S rRNA, histone H3, and cox1 molecules, that Annelida and all its component taxa, including Polychaeta and Sabellida, are not monophyletic.

BRIEF REFLECTIONS ON SOME CHARACTERS DISCUSSED IN THE LITERATURE

Nervous system

The pogonophores typically have an intraepithelial nervous system as is characteristic for Epineuralia (Oligomera + Chordata). With the acceptance of the mid-longitudinal nerve cord as being ventral, this differentiation corresponds to the midventral nerve cord in Pterobranchia and Enteropneusta (SALVINI-PLAWEN, 1998, 2000; SMITH et al., 1987). This mid-ventral concentration of the intraepithelial nervous system is likewise present in oweniids (MCINTOSH, 1917; BUBKO and MINICHEV, 1972; SALVINI-PLAWEN, 1982; SMITH et al., 1987; LAGUTENKO, 1985). PLEIJEL et al. (2009) infer from NØRREVANG (1970a, b) that Ivanov was mistaken in attributing a dorsal position for the nervous cord in pogonophores. However, SALVINI-PLAWEN (1998, 2000), ULRICH (1972), and IVANOV (1988) rejected the arguments of NØRREVANG (1970a, b), and reaffirmed their previous conclusions. SALVINI-PLAWEN (2000) explained that the internal cell mass of the diploblastic stage separates a frontal enterocoelic sac which enlarges posterior along both sides between the ectoderm and entoblastema, losing its connection to the latter. Yet the paired coelomic sacs subsequently subdivide from back to front into four compartments: the first tentacle is formed left-dorsally and is provided with a coelom from the not-yet-subdivided compartment. This corresponds to the oligomeric mesocoelom and protocoelom, a condition found in many Echinodermata. In our conception, a sedentary and tubicolous animal with a crown of sulcate tentacles surrounding the head for feeding and respiration, such as occurs in Spionida, Terebellida, Sabellida, Oweniida, Pogonophora, Phoronida, among others, are functionally radiate in organization, at least in the head region. For example, many species of sabellids and serpulids have groups of ocelli on the radioles, which are distributed over the entire branchial crown, and thus perceive light incidence coming from all directions. However, KUPRIYANOVA et al. (2006) indicate that this character still needs more study. The crown is innervated by what in other polychaetes would be the palpal nerves; the dorsal lips are more complexly innervated, but do not correspond to either antennae or palps (ORRHAGE, 1980; ROUSE and FAUCHALD, 1997). In sabellariids, sabellids and serpulids, the border between thorax and abdomen is marked by chaetal inversion, with the dorsal notochaetae and the ventral comb-shaped neurochaetae (uncini) of the thorax changing positions, so that abdominal uncini become dorsal (notopodial) and abdominal chaetae become ventral (neuropodial) in the abdomen (TEN HOVE and KUPRIYANOVA, 2009). Thus, also in the abdomen the ventral side is considered dorsal, and the dorsal side becomes ventral. Because the nervous cord remains in the same position, it becomes effectively dorsal, in our opinion.

Other closely related polychaetes, such as maldanids (tubicolous), and capitellids arenicolids (not tubicolous, but remaining sedentary), excavate galleries and have thus lost their cephalic structures, a precursor condition for the derivation of the clitellate lineage. We believe these polychaetes are related to pogonophores based on the presence of well-developed body tagma and on the presence of hooks and uncini, two structures that form a transformation series, as hypothesized by BARTOLOMAEUS et al. (2005). It may thus make little sense to distinguish dorsal from ventral in tubicolous worms. On the other hand, the evolution of the tubicolous condition may explain the transition of a ventral nervous cord to a dorsal nervous cord that occurred along the transition from a schizocoelous to an enterocelous metameric animal.

In the last decades a series of important papers have been published on the anatomy and physiology of the brain (DENES et al., 2007; TESSMAR-RAIBLE et al., 2007; TOMER et al., 2010), demonstrating that the neurosecretory control centers form part of the forebrain in many animal phyla, and indicating that vertebrates, insects, and annelids have a common origin, although the evolutionary origin of these centers is largely unknown.

Another paper (ARENDT et al., 2004) showed that insect and vertebrate eyes use rhabdomeric and ciliary photoreceptor cells, respectively. In the marine ragworm Platyneris, both cellular types are found: rhabdomeric photoreceptor cells in the eyes, and ciliary photoreceptor cells in the brain, indicating that this worm shares a common ancestry with insects and vertebrates.

Cleavage pattern and coelom

The cleavage pattern varies strongly between *Siboglinum* and *Oligobrachia*, depending on egg shape and the proportion of yolk in the eggs (IVANOVA-KAZAS, 2007). Slight differences occur between cleavage in polychaetes and pogonophores that are related to the prospective value of the blastomeres. In polychaetes, such important primordia as the ectoblast 2d and mesoblast 4d are derivatives of the postero-dorsal quadrant D, whereas in pogonophores a great role in development is played by the anterior quadrant B, comprising materials for the archenteron and coelomic mesoderm (IVANOV, 1988; IVANOVA-KAZAS, 2007). Notwithstanding, the larval development of two vestimentiferans, *Lamellibrachia* and *Escarpia*, apparently reflect the typical pattern of polychaetes (SALVINI-PLAWEN, 2000; YOUNG *et al.*, 1996). Developmental patterns clearly need to be elucidated in more detail. Observations on coelom development were made on whole mounts and paraffin sections of post-gastrulation stage embryos of *Siboglinum caulleryi* and *Nereilinum murmanicum* (IVANOV, 1957, 1963, 1975a, b; GUREEVA and IVANOV, 1986). These authors concluded that coelomic sacs appear from an anterior ectodermal pouch that grows posteriorly as in Enteropneusta. On the other hand, NØRREVANG (1970b) used semi-thin (2-4 ìm) Epon sections of *Siboglinum fiordicum* embryos and suggested that the mesoderm is not of entodermal origin, but is formed at two different phases, as in Annelida. IVANOV (1975a, b) disagreed with the conclusions of NØRREVANG (1970b), and investigated *Nereilinum murmanicum*. Together with Gureeva (GUREEVA and IVANOV, 1986), he described the enterocoelic formation of the coelom of *Siboglinum caulleryi*, and further observed that the blastopore opens inside the lumen of the primitive gut. Finally, these authors concluded that NØRREVANG (1970a, b) was wrong about his interpretations of the mesoderm. The enterocoelic pouch mode of coelom formation is derived in relation to the schizocoelic mode resulting from the internal spaces appearing among teloblastic cells (CHRISTOFFERSEN and ARAÚJO-DE-ALMEIDA, 1994; ALMEIDA and CHRISTOFFERSEN, 2001; ALMEIDA *et al.*, 2003; IVANOVA-KAZAS, 2007). In polychaetes, the coelom is multisegmented and appears by schizocoely, being divided by transversal septae that may by more or less complex. The septae are perforated by the intestine and by the longitudinal blood vessels, while the remaining organs become arranged metamerically. It is still not clear whether the coelom formation in pogonophores is schizocoelic and/or enterocoelic. We hypothesize that the coelom of the three anterior tagma may be formed by enterocoely, while the posterior opisthosomal metameres may retain the primitive schozocoelic mode of coelom formation. This corroborates CHRISTOFFERSEN and ARAÚJO-DE-ALMEIDA (1994): "Pogonophora thus still retain a primarily schizocoelic pattern of metamere formation in the posterior part of the body, while a novel enterocoelic and tricoelomate pattern has become superimposed from fore to aft in the anterior region of the body". In this case, both Ivanov and Nørravang were partially correct. The head coelom – protocoel – extends into the tentacles and forms the pericardium of the dorsal heart (IVANOV, 1957, 1994; SOUTHWARD, 1993; GARDINER and JONES, 1993). The second tagma has a coelomic cavity – mesocoel – separated from the first by a mesentery (SOUTHWARD, 1993; GARDINER and JONES, 1993; IVANOV, 1994). The third body tagma has a pair of coelomic sacs – metacoels – running longitudinally along the trunk, and separated by longitudinal mesenteries. This pattern is similar to the tri-coelomate (oligomeric) pattern described by SALVINI-PLAWEN (2000) for the Deuterostomia. The fourth body region – the opisthosoma – has a series of simple coelomic spaces divided by transversal septae as in arenicolids, maldanids and oweniids. This pattern represents strong evidence for an evolutionary transition from the multi-metameric condition of polychaetes to the oligomeric condition of Radialia (Phoronida + Deuterostomia) (CHRISTOFFERSEN and ARAÚJO-DE-ALMEIDA, 1994; ALMEIDA and CHRISTOFFERSEN, 2001; ALMEIDA et al., 2003).

Tagmosis, and segment reduction

        The transformation series is the most important evidence for the positioning of pogonophores within the Metameria (CHRISTOFFERSEN and ARAÚJO-DE-ALMEIDA, 1994), because it represents a transitional stage linking annelids with radiates (Figure 1A-B). Tagmosis consists in the grouping of a number of segments to form new specialized body regions, such as a head, a collar region, a trunk, or a tail. Different tagmata have been formed in the errant polychaete + arthropod lineage on the one hand, and in the sedentary-tubicolous polychaetes + deuterostome lineage on the other (CHRISTOFFERSEN and ARAÚJO-DE-ALMEIDA, 1994; ALMEIDA and CHRISTOFFERSEN, 2001; ALMEIDA et al., 2003). Among the sedentary polychaetes, tagmosis is well established in the following groups: (1) Spionida – Spionidae, Apistobranchidae, Chaetopteridae, Longosomatidae, Magelonidae, Poecilochaetidae, and Trochochaetidae; (2) Terebellida – Terebellidae, Tricobranchidae, Acrocirridae, Alvinellidae, Ampharetidae, Cirratulidae, Flabelligeridae, and Pectinariidae; (3) Sabellida – Sabellidae, Serpulidae, Sabellariidae, and Oweniidae; and (4) a portion of the "scolecids" – Ophelidae, Capitellidae, Arenicolidae, and Maldanidae. In these groups, the body becomes divided into three distinct regions: (a) a well-defined head without appendages, as in ophellids, capitellids, arenicolids, maldanids, and some representatives of the oweniids, a head tagma with palps or a crown of tentacles in Spionida, Terebellida, Sabellida, and in Owenia (in this oweniid the postomium is fused to the peristomium and there is a basal collar); (b) a trunk region that is composed by a more prominent and shorter anterior thorax and a posterior less prominent and more elongate abdomen; and (c) a pygidium, that contains the anus. In arenicolids, maldanids, oweniids, and pogonophores, the median body segments are elongate. In pogonophores the coelom is further divided into three compartments (SALVINI-PLAWEN, 2000).

In arenicolids and maldanids a fourth tagma is present differently of the anterior setigers, which becomes elongate tail in *Arenicola* and *Abarenicola*, and in the maldanids this structure becomes reduced. We consider this fourth tagma homologous to the fourth tagma of oweniids and to the opisthosoma of pogonophores (CHRISTOFFERSEN and ARAÚJO-DE-ALMEIDA, 1994; ALMEIDA and CHRISTOFFERSEN, 2001; ALMEIDA *et al.*, 2003).

Asymmetrical development of anterior pair of coeloms

Dexiothetica   JEFFERIES (1979) was attributed to a group of organisms in which a new plane of bilateral symmetry was formed (in Enteropneusta and Chordata), following the suppression of the right side of the body in Echinodermata. The new symmetrical body thus became completely reorganized from the original left side (JEFFERIES, 1979). Evidence for assymetry in the protocoelom occur in pogonophores and in all enterocoels. In the groups in which this pattern was described, the right protocoelom is modified into a pericardium, or a prossomal cardiac vesicle appears and becomes suppressed during development (SALVINI-PLAWEN, 2000). With the subsequent individuation of the proto and mesocoeloms, the tentacular crown becomes associated exclusively with the left protocoelom, while the right protocoelom forms the percardium. For this reason, we consider the two types of tentacular apparatuses found in pogonophores and deuterostomes to be homologous. Pterobranchia and Enteropneusta also display a tendency for the protocoeloms to become asymmetrical, including an assymetry in the prosomal coelomopore (SALVINI-PLAWEN, 1998).

Pogonophores present an asymmetric pattern of development of the anterior pairs of coeloms, like all deuterostomes. The pericardium, in pogonophores and hemichordates, and the madreporic vesicle in echinoderms, develop at the expense of the right anterior coelom (IVANOVA-KAZAS, 2007). The derivatives of the left anterior coelom and tentacular coelom of pogonophores, the coelom of the proboscis in hemichordates, and some parts of the stone canal of the ambulacral system in echinoderms, all develop in a similar way (IVANOVA-KAZAS, 2007; SALVINI-PLAWEN, 2000).

Larval development

Amongst the adaptive diversity of larval forms found in the Metazoa, the mitraria larva of *Owenia* (in our opinion, a modified trochophore), surprisingly presents deuterostome characters, such as monocilliary cells, prototroch with parallel bands of cilia, presence of food groove, metatroch forming sinuous curves, and a deuterostome-like nephridium (SMITH *et al.*, 1987; EMLET and STRATHMANN, 1994; ALMEIDA *et al.*, 2003). These characters indicate that the larva of *Owenia* presents true homologies linking this larval type to the larva of deuterostomes (WILSON, 1932; GARDINER, 1978; ALMEIDA *et al.*, 2003). The larva of *Owenia*, with its so-called catastrophic metamorphosis (WILSON, 1932; ANDERSON, 1974), seems similar to the groups of Enterocoela, such Phoronida (NIELSEN, 1995). In the mitraria larva the new segments accumulate within the larval hyposphere, until the larva bursts and all the segments are freed catastrophically, differently from other typical polychaete larva, in which somites are added at the posterior region of the animal one by one, and the larvae transform into the adult gradually (ALMEIDA *et al.*, 2003).

DISCUSSION AND CONCLUSIONS

GEOFFROY SAINT-HILLAIRE (1822), and DOHRN (1875) were the first to propose the origin of Vertebrata from a common ancestor similar to Annelida. The idea that we are but worms has also been reinforced from paleontological evidence (CONWAY MORRIS, 2003a, b). Later studies on hox genes have shown that these are responsible for the dorso-ventral and anterior-posterior orientation of the body axis, and for the segmentation of polychaetes, arthropods and vertebrates (MCGINNIS *et al.*, 1984; LAWRENCE, 1990; FRANÇOIS and BIER, 1995; HOLLEY *et al.*, 1995; JONES and SMITH, 1995; HOLLAND *et al.*, 1997; TAUTZ, 2004; BROWN *et al.*, 2008). Embryological evidence points to a dorso-ventral inversion in the possible derivation of a deuterostome from a protostome ancestor (ARENDT and NÜBLE-JUNG, 1995a, b, 1997, 1999; NÜBLE-JUNG and ARENDT, 1999). Ivanov placed the pogonophores as a phylum more closely related to the hemichordates (IVANOV, 1963, 1994; IVANOVA-KAZAS, 2007). JÄGERSTEN (1957) agreed with the homology established between dentate plates and uncini, comparing them with the chaetae of brachiopods. Thus, the pogonophores could be placed as oligomeric deuterostomes, with a double nervous cord placed ventrally, a conclusion also accepted by IVANOV (1975b, 1994).

Histological evidence from the mioepithelial mesoderm demonstrated a transition from the bilaminate layers of most polychaetes to the multilaminate layers of *Owenia fusiformis* and deuterostomes (RIEGER and LOMBARDI, 1987; SALVINI-PLAWEN, 2000; RIEGER and LADURNE, 2003). Concomitantly, GARDINER (1978) also observed the mioepithelial pattern of the visceral mesoderm of *Owenia fusiformis*, including septae, mesenteries, digestive tube, blood vessels, parapodial glands and chaetal sacs, inferring that these differ from the remaining polychaetes and belong to the deuterostome pattern. Other papers added evidence for a transition from protostomes and deuterostomes; SMITH *et al.* (1987) indicated that the monociliate podocytes of the terminal protonephridial cells of *Owenia* were more similar to the larvae of deuterostomes than to the larvae of polychaetes; EMLET and STRATHMANN (1994) observed a prototroch and metatroch of simple cilia and an ascending pattern of particle collection in the mitraria larvae of *Owenia*, similar to the pattern of Deuterostomia. This hypothesis has been corroborated by molecular data (ROUSSET *et al.*, 2004). In our opinion, tagmosis represents an important character appearing in sedentary and tubicolous polychaetes, which derives from a metameric ancestral with non-specialized segments (FAUVEL, 1923; DAY, 1967; FAUCHALD, 1977). Tagmosis and successive reduction of metameres are considered apomorphic conditions that link more basal protostome annelids with deuterostomes (Figure 1A-B) (CHRISTOFFERSEN and ARAÚJO-DE-ALMEIDA, 1994; ALMEIDA and CHRISTOFFERSEN, 2001; ALMEIDA *et al.*, 2003). This hypothesis has been corroborated by a series of homologous genes for segmentation and tagmosis (MCGINNIS *et al.*, 1984; LAWRENCE, 1990; FRANÇOIS and BIER, 1995; HOLLEY, *et al.*, 1995; JONES and SMITH, 1995; HOLLAND *et al.*, 1997).

SALVINI-PLAWEN (2000) critically compared the main characters of pogonophores and its relationships with Annelida-Polychaeta (particularly with oweniids) and to Oligomera. He concluded that the tendency to include pogonophores in annelids is based on convergent/homoplastic characters. We may add that the similarities between annelids and pogonophores are based preponderantly on plesiomorphic similarities shared between the two groups.

The important point for us is not whether pogonophores are categorized as a family (Siboglinidae) or a phylum (Pogonophora), but that this monophyletic taxon is characterized by having a frenulum, a trunk, ridges with pyriform glands on the anterior trunk, an opisthossoma, uncini with opposed teeth, an occluded gut, and a collapsible tube, all considered unambiguous apomorphies in a multistate analysis (ROUSE, 2001). This clade represents a key group for our understanding the evolution of deuterostomes from "protostomes". Beyond elucidating the worm origins of our own lineage, important phylogenetic consequences of these views are that Polychaeta, Annelida and Protostomia are all paraphyletic assemblages based on plesiomorphic similarities. The smallest monophyletic group which includes the polychaetes and annelids should be referred to as Metameria. More inclusive groups are represented by the Coelomata and Bilateria, with the consequence that protostomes, radialians, lophotrochozoans, and related plesiomorphic groupings represent paraphyletic taxa and must be excluded from the system of the Metazoa. Although some recent papers have attempted to sustain these groups with molecular data, these remain, in our opinion, phylogenetically inconsistent (HOLLAND, 2000; HALANICH, 2004; GIRIBET *et al.*, 2007).

We believe that conflicting conclusions regarding the phylogenetic position of pogonophores reflect different methods of phylogenetic inference, rather than being due to insufficient or inadequate empirical data. Evolutionary systematics does not adequately distinguish plesiomorphic from apomorphic character states, while total evidence and a *posteriori* methods of character polarization in quantitative cladistics may interpret plesiomorphic groups as

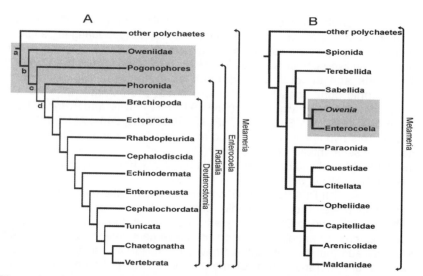

Figure1 - A. One of the phylogenetic trees proposed for the Enterocoela based on morphological data; **(a)** other polychaetes include also Ecdysozoa, Echiura, Sipuncula, and Clitellata, schizocoelic metamerians, with body divided into multiple, similar segments; **(b)** schizocoelic metamerians, with segments grouped into four body tagma: 1) anterior region (head) formed by the fusion of the prostomium and peristomium; 2) a collar region; 3) a trunk containing several reduced and greatly elongated segments; 4) a pygidium, containing few and greatly reduced or vestigial body segments; **(c)** metamerians with three anterior enterocoelic tagma (tri-coelomate pattern), similar to the deuterostomes, have 1) a head or cephalic lobe, the protosome; 2) a middle segment or collar region, the mesosome; 3) an elongate trunk segment, with dorsal papillae and a posterior girdle of uncini, the metasome), and retaining a posterior, vestigial, fourth tagma with a schizocoelic organization 4) the opisthosome, with multiple similar segments retaining peg-like chaetae or uncini; **(d)** Radialia (Phoronida + Deuterostomia), with a tri-coelomate, oligomeric organization. The relationships among the taxa of Deuterostomia are not study focus of this paper. (Modified from CHRISTOFFERSEN and ARAÚJO-DE-ALMEIDA, 1994; see this reference for more details).
B. One of the phylogenetic trees proposed for the Metameria, showing the position of the Enterocoela, which include pogonophores among sedentary polychaetes, following ALMEIDA *et al.*, (2003). The *Owenia* appear as sister group of Enterocoela by having 1) larval deuterostome-like nephridia, and 2) larval development catastrophic metamorphosis, with the mitraria larva presenting deuterostome characters. The phylogenetic tree is based on a parsimony analysis of morphological data. (Modified from ALMEIDA *et al.*, 2003, see this reference for more details).

apomorphic, because plesiomorphies tend to be more numerous than apomorphies, so that the quality of characters, their distribution, and the evidence for character conflicts must be investigated (CHRISTOFFERSEN, 1995, 2009; MOOI and GILL, 2010). For this reason, plesiomorphic and convergent data represent noise that must be pruned as far as possible from data matrices before cladistic analysis, as proposed initially in the systemic approach of HENNIG (1966). Only hypotheses of transformation series of apomorphic character states, not rigorous assessments of overall character similarities, are capable of unambiguously revealing the hierarchical pattern of past evolutionary history (HENNIG, 1966; WILEY, 1981). When a systems view is applied to phylogeny reconstruction under a broad evolutionary context (CHRISTOFFERSEN, 1995; AMORIM, 2002), pogonophores are simply understood as sharing plesiomorphic similarities (schizocoel, homonymous metameres) with groups of polychaetes and apomorphic similarities (enterocoel, oligomerism) with radialians.

We certainly have not seen the end of this story. We are convinced that a more detailed reinterpretation, and more adequate analyses of characters is still imperative. Phenetic clustering of character similarities resulting from present cladistic analyses need to be replaced by a phylogenetic approach, which more adequately considers characters as resulting from an evolutionary process. Only then will the new paradigm of replacing overall similarities by evolutionary relationships, as envisioned originally by HENNIG (1966), be implemented. And only then we will be able, at long last, to say farewell to phenetics and essentialism in systematics.

ACKNOWLEDGEMENTS

We heartily thank Dr. Elineí Araújo-de-Almeida (UFRN) for valuable suggestions on the manuscript. CAPES provided a doctorate scholarship to J. E. De Assis and CNPq a productivity grant to Dr. M. L. Christoffersen.

REFERENCES

ALMEIDA, W.O. and M.L. CHRISTOFFERSEN. 2001 - **Análise cladística dos grupos basais de Metameria uma nova proposta para o posicionamento dos Arthropoda e grupos afins entre poliquetos errantes. Série Teses, Dissertações e Monografias – 1.** Holos Editora, Ribeirão Preto, São Paulo 67 p.

ALMEIDA, W.O.; M.L. CHRISTOFFERSEN; D.S. AMORIM and E.C.C. ELOY. 2008 - Morphological support for the phylogenetic positioning of Pentastomida and related fossils. *Biotemas* 21: 81-90.

ALMEIDA, W.O.; CHRISTOFFERSEN, M.L.; AMORIM, D.S.; GARRAFFONI, S.A.R.

and SENE, S.G. 2003 - Polychaeta, Annelida, and Articulata are not monophyletic: articulating the Metameria (Metazoa, Coelomata). *Revista Brasileira de Zoologia* 20: 23-57.

AMORIM, D.S. 2002 - **Fundamentos da sistemática filogenética**. Holos Editora, Ribeirão Preto, São Paulo 154 p.

ANDERSON, D.T. 1974 - **Embriology and phylogeny in annelids and arthropods.** Pergamon Press, Oxford XIV + 495 p.

ARENDT, D. and NÜBLER-JUNG, K. 1995a - Inversion of dorsoventral axis? *Nature* 371: 26.

ARENDT, D. and NÜBLER-JUNG, K. 1995b - Dorsoventral axis inversion. *Nature* 373: 110-112.

ARENDT, D. and NÜBLER-JUNG, K. 1997. Dorsal or ventral: similarities in fate maps and gastrulation patterns in annelids, arthropods and chordates. *Mechanisms of Development* 61: 7-21.

ARENDT, D. and NÜBLER-JUNG, K. 1999 - Comparison of early nerve cord development in insects and vertebrates. *Development* 126: 2309-2325.

ARENDT, D.; TESSEMAR-RAIBLE, K.; SNYMAN, H.; DORRESTEIJN, A.W. and WITTBRODT, J. 2004 - Ciliary photoreceptors with a vertebrate-type opsin in an invertebrate brain. *Science* 306: 869-871.

AX, P. 1960 - **Die Entdeckung neuer Organisationstypen im Tierreich**. Die Neue Brehm Bücherei, Wittenberg 258 p.

BARTOLOMAEUS, T. 1995 - Structure and formation of the uncini in *Pectinaria koreni, Pectinaria auricoma* (Terebellida) and *Spirorbis spirorbis* (Sabellida): implications for annelid phylogeny and the position of the Pogonophora. *Zoomorphology* 115: 161-177.

BARTOLOMAEUS, T. 1996 - Ultrastructure and formation of hooked setae in *Owenia fusiformis* Delle Chiaje, 1842: Implications for annelid phylogeny. *Canadian Journal of Zoology* 74: 2143-2153.

BARTOLOMAEUS, T.; PURSCHKE, G. and HAUSE, H. 2005 - Polychaete phylogeny based on morphological data – a comparison of current attempts. *Hydrobiologia* 536: 341-356.

BEKLEMISHEV, V.N. 1944 - **Foundations of a comparative anatomy of invertebrates.** Sovetskaya Nauka, Moscow 490 p.

BLEIDORN, C.; VOGT, L. and BARTOLOMAEUS, T. 2003a - A contribution to polychaete phylogeny using 18S DNA sequence data. *Zoological Journal of the Linnean Society* 144: 59-73.

BLEIDORN, C.; VOGT, L. and BARTOLOMAEUS, T. 2003b - New insights into polychaete phylogeny (Annelida) inferred from 18S rDNA sequences. *Molecular Phylogenetics and Evolution* 29: 673-679.

BLEIDORN, C.; PODSIADLOWSKI, L. and BARTOLOMAEUS, T. 2006 - The complete mitochondrial genome of the orbiniid polychaete *Orbinia latreilli* (Annelida, Orbiniidae) – a novel gene order for Annelida and implications for annelid phylogeny. *Gene* 370: 96-103.

BROWN, F.D.; PRENDERGAST, A. and SWALLA, B.J. 2008 - Man is but a Worm: Chordate origins. *Genesis* 46: 605-613. Doi: 10.1002/dvg.20471.

BUBKO, O.U. and MINICHEV, Y. 1972. Nervous system in Oweniidae (Polychaeta). *Zoologicheskii Zhurnal* 51: 1288-1299.

CAULLERY, M. 1914 - Sur les Siboglinidae, type nouveau dês invertébrés receuillis par l'expédition du Siboga. *Bulletin de la Societé Zoologique de France* 39: 350-353.

CHRISTOFFERSEN, M.L. 1995 - Cladistic taxonomy, phylogenetic systematics, and evolutionary ranking. *Systematic Biology* 44(3): 440-454.

CHRISTOFFERSEN, M.L. 2009 - Species and distribution of microdrile earthworms (Annelida, Clitellata, Enchytraeidae) from South America. *Zootaxa* 2065: 51-68.

CHRISTOFFERSEN, M.L. and ARAÚJO-DE-ALMEIDA, E. 1994 - A phylogenetic framework of the Enterocoela (Metameria: Coelomata). *Revista Nordestina de Biologia* 9: 173-208.

COLGAN, D.J.; HUTCHINGS, P.A. and. BRAUNE, M. 2006. A multigene framework for polychaete phylogenetic studies. *Organisms Diversity and Evolution* 6: 220-235.

CONWAY MORRIS, S. 2003a - Once we were worms. *New Scientist* 179 (2406): 34-37.

CONWAY MORRIS, S. 2003b - Once we were worms. *New Scientist* 179 (2408): 21.

DAY, J.H. 1967 - The Polychaeta fauna of South Africa. *Bulletin of the British Museum of the Natural History* 10: 384-445.

DENES, A. S; JÉKELY, G.; STEINMETZ, P.R.H.; RAIBLE, F.; SNYMAN H.; PRUD'HOMME, B.; FERRIER, D.E.K.; BALAVOINE, G.; and ARENDT, D. 2007 - Molecular architecture of annelid nerve cord supports common origin of nervous sistem centralization in Bilateria. *Cell* 129: 277-288. Doi: 10.1016/j.cell.2007.02.040.

DOHRN, A. 1875 - **Der Ursprung der Wirbeltiere und das Princip des Functionswechsels**. Verlag von Wilhelm Engelman, Leipzig, 436 p.

DUNN, C.W.; HEJNOL, A.; MATUS, D.Q.; PANG, K.; BROWNE, W.E.; SMITH, A.; SEAVER, E.; ROUSE, G.W.; OBST, M.; EDGECOMBE, D.; SØRENSEN, M.V.; HADDOCK, S.H.D.; SCHMIDT-RHAESA, A.; OKUSU, A.; KRISTENSEN, R.M.; WHEELER, W.C.; MARTINDALE, M.Q. and GIRIBET, G. 2008 - Broad phylogenomic sampling improves resolution of the animal tree of life. *Nature* 452: 745-749. Doi: 10.1038/nature06614.

DZIK, J. and KRUMBIEGEL, G. 1989 - The oldest 'onychophoran' *Xenusium*: a link connecting phyla? *Lethaia* 22: 169-181.

EIBYE-JACOBSEN, D. and NIELSEN, C. 1996 - Point of view: the rearticulation of annelids. *Zoologica Scripta* 25: 275-282.

EMLET, R.B. and STRATHMANN, R.R. 1994 - Functional consequences of simples cilia in the mitraria of oweniids (an anomalous larva of an anomalous polychaete) and comparisons with other larvae; pp 143-157. *In:* WILSON, W.H., STRICKER, S.A. and SHINN, G.L. (Eds.). **Reproduction and development of marine invertebrates**, Hopkins University Press, Baltimore.

FAUCHALD, K. 1977 - The polychaete worms. Definitions and keys to the orders, families and genera. *Natural History Museum, Los Angeles Country Science Series* 28: 1-188.

FAUVEL, P. 1923 - **Polychètes errantes.** Faune de France 243 pp.

FRANÇOIS, V. and BIER, E. 1995 - *Xenopus chordin* and *Drosophila* short gastrulation genes encode homologous proteins functioning in dorsal-ventral axis formation. *Cell* 80: 1-55.

GARDINER, S.L. 1978 - Fine structure of the ciliate epidermis on the tentacles of *Owenia fusiformis* (Polychaeta, Oweniidae). *Zoomorphology* 91: 37-48.

GARDINER, S.L. and JONES, M.L. 1993 - Vestimentifera; pp. 371-460 in: HARRISON, F.W. and RICE, M.E. (Eds.), **Microscopic Anatomy of Invertebrates. Onychophora, Chilopoda and lesser Protostomata, Vol. 12**. Wiley-Liss, New York.

GARRAFFONI, A.R.S. and AMORIM, D.S. 2003 - Análise filogenética de Questidae e Clitellata: o problema da parafilia de "Polychaeta". *Iheringia Série Zoológica* 93: 97-109.

GEOFFROY SAINT-HILAIRE, E. 1822 - **Philosophie anatomique**. J.B. Bailliere, Paris 280 p.

GIRIBET, G.; DUNN, C.W.; EDGECOMBE, G.D. and ROUSE, G.W. 2007. A modern look at the animal tree of life. *Zootaxa* 1668: 61-79.

GUREEVA, M.A. 1979 - A contribution to the study of the early development of *Nereilinum murmanicum* Ivanov, 1961 (Pogonophora). *Zoological Museum of the Zoological Institute of the Russian Academy of Sciences* 84: 63-72.

GUREEVA, M.A. and IVANOV, A.V. 1986 - On the coelomic formation in embryos of *Oligobrachia mashicoi* (Pogonophora). *Zoologicheskii Zhurnal* 65: 780-788.

HALANICH, K.M. 2004 - The new view of animal phylogeny. *Annual Review of Ecology, Evolution, and Systematics* 35: 229-256.

HENNIG, W. 1966. **Phylogenetic systematics**. Urbana, III, University of Illinois Press, Illinois 280 p.

HOLLAND, L.Z. 2000 - Body-plan evolution in the Bilateria: early antero-posterior patterning and the deuterostome-protostome dichotomy. *Current Opinion in Genetics and Development* 10: 434-442.

HOLLAND, L.Z.; KENE, M.; WILLIAMS, N.A. and HOLLAND, N. 1997 - Sequence and embryonic expression of the amphioxus *engrailed* gene (*AmphiEn*): the metameric pattern of transcription resembles that of its segment-polarity homolog in *Drosophila*. *Development* 124:1723-1732.

HOLLEY, S.A.; JACKSON, P.D.; SASAI, Y; LU, B; DE ROBERTS, E.M.; HOFFMANN, E.M. and FERGUSON, E.L. 1995 - A conserved system for dorsal-ventral patterning in insects and vertebrates involving sog and chordin. *Nature* 376: 249-253.

HYMAN, L.H. 1959 - **The invertebrates: smaller coelomate groups**. McGraw-Hill, New York 783 p.

IVANOV, A.V. 1955 - On the assignment of class Pogonophora to separate phylum of Deuterostomia- Brachiata A. Ivanov phyl. nov. *Systematic Zoology* 4: 177-178.

IVANOV, A.V. 1957 - Neue Pogonophora aus dem nordwestlichen Teil des Stillen Ozeans. *Zoologicheskii Zhurnal* 36: 431-500.

IVANOV, A.V. 1960 - Embranchement des pogonophores; pp. 1521-1622. In: P.P. Grassé (Ed.). **Traité de Zoologie**, Masson, Paris.

IVANOV, A.V. 1963 - **Pogonophora**. Academic Press, London 479 p.

IVANOV, A.V. 1975a - On the origin of Coelomata. *Zhurnal Obshchei Biologii* 36: 643-653.

IVANOV, A.V. 1975b - Embryonalentwicklung der Pogonophora und ihre systematische Stellung. *Zeitschrit für Zoologische Systematik und Evolutionsforchung* 1: 10-14.

IVANOV, A.V. 1988 - Analysis of the embryonic development of Pogonophora in connection with the problems of phylogenetics. *Zeitschrit für Zoologische Systematik und Evolutionsforchung* 26: 161-185.

IVANOV, A.V. 1994 - On the systematic position of Vestimentifera. *Zoologische Jahrbücher, Systematik* 121: 409-456.

IVANOV, A.V. and GURREVA, M.A. 1976 - On the egg cleavege in *Oligobtachia masbikoi* Imajima (Pogonophora). *Doklady Akademii Nauk SSSR* 227: 1493-1495.

IVANOVA-KAZAS, O.M. 2007 - On the problem of the origin of Pogonophora. *Russian Journal of Marine Biology* 33: 338-342.

JÄGERSTEN, G. 1957 - Investigations on *Siboglinum ekmani* n. sp., encountered in Skagerak. *Zoologiska Bidrag fran Uppsala* 31: 211-252.

JEFFERIES, R.P.S. 1979 - The origin of chordates – a methodological essay; pp. 443-477. In: HOUSE, M.R. (Ed.) **The origin of major invertebrates groups**. Academic Press, London.

JENNINGS, R.M. and HALANYCH, K.M. 2005 - Mitocondrial genomes of *Clymenella torquata* (Maldanidae) and *Riftia pachyptila* (Siboglinidae): evidence for conserved gene order in Annelida. *Molecular Phylogenetics and Evolution* 22: 210-222.

JOHANSSON, K.E. 1937 - Über *Lamellisabella zachsi* und ihre systematische Stellung. *Zoologischer Anzeiger* 117: 23-26.

JOHANSSON, K.E. 1939 - *Lamellisabella zachsi* Uschakow, ein Vertreter einer neuen Tierklasse Pogonophora. *Zoologisch Bidrag från Uppsala* 18: 253-268.

JONES, M.L. 1985a - Vestimentiferan pogonophores: their biology and affinities; pp. 327-342. In: S.C. MORRIS, J.D.; R. GEORGE; H.M. GIBSON, PLATT (Eds.). **The origin and relationships of lower invertebrates.** The Systematic Association Special Vol. 28, Oxford University Press, Cambridge.

JONES, M.L. 1985b - On the Vestimentifera, new phylum: six new species, and other taxa, from hydrothermal vents and elsewhere. *Bulletin of the Biological Society of Washington* 6: 117-158.

JONES, C.M. and SMITH, J.C. 1995 - Revolving vertebrates. *Current Biology* 5: 474- 76.

KOJIMA, S. 1998 - Paraphyletic status of Polychaeta suggested by phylogenetic analysis based on the amino acid sequences of elongation factor X. *Molecular Phylogenetics and Evolution* 9: 255-261.

KOJIMA, S.; OHTA, S.; YAMAMOTO, T.; MIURA, T.; FUJIWARA, Y.; FUJIKURA, K. and HASHIMOTO, J. 2002 - Molecular taxonomy of vestimentiferans of the western Pacific and their phylogenetic relationship to species of the eastern Pacific. *Marine Biology* 141: 57-64.

KOJIMA, S.; OHTA, S.; YAMAMOTO, T.; YAMAGUCHI, T.; MIURA, T.; FUJIWARA, Y.; FUJIKURA, K. and HASHIMOTO, J. 2003 - Molecular taxonomy of vestimentiferans of the western Pacific, and their phylogenetic relationship to species of the eastern Pacific III. *Alaysia*-like vestimentiferans and relationship among families. *Marine Biology* 142: 625-635.

KUPRIYANOVA, E.K.; MACDONALD, T.A. and ROUSE, G.W. 2006 - Phylogenetic relationships within Serpulidae (Sabellida, Annelida) infered from molecular and morphological data. *Zoologica Scripta* 35(5): 421-439.

LAGUTENKO, Y.P. 1985 - Nerve plexus of *Miriochele oculata* Zachs (Polychaeta, Oweniidae) and its evolutionary significance. *Doklady Akademii Nauk SSSR* 281: 954-957.

LAWRENCE, P.A. 1990 - Compartments in vertebrates? *Nature* 344: 382-383.

LIVANOV, N.A. and PORFIREVA, N.A. 1965. The annelid hypothesis" of the origin of the Pogonophora. *Zoologicheskii Zhurnal* 44: 161-168.

LIVANOV, N.A. and PORFIREVA, N.A. 1967 - Die Organisation der Pogonophoren und deren Beziehungen zu den Polychäten. *Biologisches Zentralblatt* 86: 177-204.

MALAKHOV, V.V.; POPELYAEV, I.S. and GALKIN, S.A. 1997 - On the position of Vestimentifera and Pogonophora in the system of the animal kingdom. *Zoologicheskii Zhurnal* 76: 1336-1347.

MAÑÉ-GARZÓN, F. and MONTERO, R. 1985 - Sobre una nueva forma de verme tubícola *Lamellibrachia victori* n. sp. (Vestimentifera) proposicion de un nuevo phylum: Mesoneurophora. *Revista de*

Biologia del Uruguay 8: 1-28.

MANTON, S.M. 1977 - **The Arthropods: habits, functional morphology and evolution.** Clarendon Press, Oxford 527 p.

MATSUNO, A. and SASAYAMA, Y. 2002. A comparative study of body wall structure of a pogonophore and an annelid from a phylogenetic viewpoint, *Zoological Science* 19: 695-701.

MCGINNIS, W.; HART, C.P.; GEHRING, W.J. and RUDDLE, F.H. 1984 - Molecular cloning and chromosome mapping of a mouse DNA sequence homologous to homeotic genes of *Drosophila. Cell* 38: 675-680.

MCHUGH, D. 1997 - Molecular evidence that echiurans and pogonophores are derived Annelids. *Proceedings of the National Academy of Science, USA* 94: 8006-8009.

MCHUGH, D. 2000 - Molecular phylogeny of the Annelida. *Canadian Journal of Zoology* 78: 1873-1884.

MCINTOSH, W.C. 1917 - On the nervous system and other points in the structure of *Owenia* and *Myriochele. Annals and Magazine of Natural History* 19: 233-265.

MILL, P.J. 1972 - **Respiration in invertebrates.** MacMillan, London 212 p.

MOOI, R.D. and GILL, A.C. 2010. Phylogenies without synapomorphies – A crisis in fish systematics. *Zootaxa* 2450: 26-40.

NIELSEN, C. 1995 - **Animal evolution: Interrelationships of living phyla.** Oxford University Press, Oxford 467 p.

NØRREVANG, A. 1970a - On the embryology of *Siboglinum* and its implication for the systematic position of the Pogonophora. *Sarsia* 42: 7-16

NØRREVANG, A. 1970b - The position of Pogonophora in phylogenetic system. *Zeitschrit für Zoologische Systematik und Evolutionsforchung* 8: 161-172.

NÜBLER-JUNG, K.N. and ARENDT, D. 1999 - Dorsoventral axis inversion: Enteropneust anatomy links invertebrates to chordates turned upside down. *Journal of Zoological Systematics and Evolutionary Research* 37: 93-100.

ORRHAGE, L. 1980 - On the structure and homologues of the anterior end of polychaete families Sabellidae and Serpulidae. *Zoomorphology* 96: 113-168.

PLEIJEL, F.; DAHLGREN, T and ROUSE, G.W. 2009 - Progress in systematic: from Siboglinidae to Pogonophora and Vestimentifera and back to Siboglinidae. *Comptes Rendus Biologies* 332: 140-148.

PURSCHKE, G.; HESSLING, R. and WESTHEIDE, W. 2000 - The phylogenetic position of the Clitellata and Echiura – on the problematic assessment of absent characters. *Journal of Zoological Systematics and Evolutionary Research* 38: 165-173.

RIEDL, R. 1963 - Hemichordata; pp. 409-438. *In*: BERTALANFFY, L.V. and GESSNER, F. (Eds.), **Handbuch der Biologie.** Academie Verlag,

Konstanz.

RIEGER, R.M. and LOMBARDI, J. 1987- Ultrastructure of coelomic linings in echinoderm podia: significance for conceptions in the evolution of muscle and peritoneal cells. *Zoomorphology* 107: 191-208.

RIEGER, R.M. and LADURNE, P. 2003 - The significance of muscle cells for the origin of mesoderm in Bilateria. *Integrative and Comparative Biology* 43: 43-47.

ROUSE, G.W. 2001 - A cladistic analysis of Siboglinidae Caullery, 1914 (Polychaeta, Annelida): formerly the phyla Pogonophora and Vestimentifera. *Zoological Journal of the Linnean Society* 132: 55-80.

ROUSE, G.W. and FAUCHALD, K. 1995 - The articulation annelids. *Zoologica Scripta* 24: 269-301.

ROUSE, G.W. and FAUCHALD, K. 1997 - Cladistics and polychaetes. *Zoologica Scripta* 26: 139-204.

ROUSSET, V.; ROUSE, G.W.; SIDDALL, M.E.; TILLIER, A. and PLEIJEL, F. 2004 - The phylogenetic position of Siboglinidae (Annelida) inferred from 18S rRNA, 28S rRNA and morphological data. *Cladistics* 20: 518-533.

ROUSSET, V.; PLEIJEL, F; ROUSE, G.W.; ERSÉUS, C. and SIDDALL, M.E. 2007 - A molecular phylogeny of annelids. *Cladistics* 23: 41-63.

SALVINI-PLAWEN, L.V. 1982. A paedomorphic origin of the oligomerous animals? *Zoologica Scripta* 11: 77-81.

SALVINI-PLAWEN, L.V. 1998 - The urochordate larva and archichordate organization: chordate origin and anagenesis revisited. *Journal of Zoological Systematics and Evolutionary Research* 36: 129-145.

SALVINI-PLAWEN, L.V. 2000 - What is convergent/homoplastic in Pogonophora? *Journal of Zoological Systematics and Evolutionary Research* 38: 133-147.

SASAYAMA, Y.; MATADA, M.; FUKUMORI, Y.; UMEBAYASHI, M.; MATSUNO, A.; NAKANAGAWA, T. and IMAJIMA, M. 2003 - External morphology of the posterior end, the "opisthosoma" of the beard worm *Oligobrachia mashikoi* (Pogonophora). *Zoological Science* 20: 1411-1416.

SCHULZE, A. 2001 - Ultrastructure of opisthosomal chaetae in Vestimentifera (Pogonophora, Obturata) and implications for phylogeny. *Acta Zoologica* 82: 127-135.

SCHULZE, A. 2002 - Histological and ultrastructural characterization of the intravasal body in Vestimentifera (Siboglinidae, Polychaeta, Annelida). *Cahiers de Biologie Marine* 43: 355-358.

SCHULZE, A. 2003 - Phylogeny of Vestimentifera (Siboglinidae, Annelida) inferred from Morphology. *Zoologica Scripta* 32: 321-342.

SIEWING, R. 1975 - Thoughts about the phylogenetic-systematic position of Pogonophora. *Zeitschrit für Zoologische Systematik und Evolutionsforchung* 12: 127-138.

SMIRNOV, R.V. 2000a - Two new species of Pogonophora from the arctic mud volcano off northwestern Norway. *Sarsia* 85: 141-150.

SMIRNOV, R.V. 2000b - A new species of *Spirobrachia* (Pogonophora) from the Orkney trench (Antarctica). *Polar Biology* 23: 567-570.

SMITH, P.R.; RUPPERT, E.E. and GARDINER, S.L. 1987. A deuterostome-like nephridium in the mitraria larva of *Owenia fusiformis* (Polychaeta, Annelida). *Biological Bulletin* 172: 315-323.

SOUTHWARD, E.C. 1975 - Fine structure and phylogeny of the Pogonophora. *Symposium of the Zoological Society of London* 36: 235-251.

SOUTHWARD, E.C. 1993 - Pogonophora; pp. 327-369. In: F.W. HARRISON, M.E. RICE (Eds.). **Microscopic anatomy of invertebrates. vol. 12. Onychophora, Chilopoda and lesser Protostomata**. Wiley-Liss, New York.

SOUTHWARD, E.C. 1999 - Development of Perviata and Vestimentifera (Pogonophora). *Hydrobiologia* 402: 185-202.

SOUTHWARD, E.C. 2000 - Class Pogonophora; pp. 331-351. In: P.L. BEESLEY, G.J.B. ROSS, C.J. GLASBY (Eds.). **Faune of Australia, polychaetes and allies: the southern synthesis**. CSIRO, Melbourne.

SOUTHWARD, A.J.; SOUTHWARD, E.C. 1963 - Notes on the biology of some Pogonophora. *Journal of the Marine Biological Association of the United Kingdom* 43: 57-64.

SOUTHWARD, E.C.; SCHULZE, A. and TUNNICLIFFE, A. 2002 - Vestimentiferans (Pogonophora) in the Pacific and Indian Oceans: a new genus from Lihir Island (Papua New Guinea) and the Java Trench, with the first report of *Arcovestia ivanovi* from the North Fiji Basin. *Journal of Natural History* 36: 1179-1197.

STRUCK, T.H. and PURSCHKE, G. 2005 - The sistergroup relationship of Aeolosomatidae and Potamodrilidae - a molecular phylogenetic approach based on 18S rDNA and Cytochrome Oxidase I. *Zoologischer Anzeiger* 243: 281-293.

SUZUKI, T.; TAKAGI, T.; OKUDA, K; FURUKOHRI, T. and OHTA, S. 1989 - The deep-sea tube worm hemoglobin: subunit structure and phylogenetic relationship with annelid hemoglobin. *Zoological Science* 6: 915-926.

TAUTZ, D. 2004 - Segmentation. *Developmental Cell* 7: 301-312.

TEN HOVE, H.A. and KUPRIYANOVA, E.K. 2009 - Taxonomy of Serpulidae (Annelida, Polychaeta): the states of affairs. *Zootaxa* 2036: 1-26.

TERWILLIGER, R.C.; TERWILLIGER, N.B.; HUGHES, G.M.; SOUTHWARD, A.J. and. SOUTHWARD, E.C. 1987 - Studies on the haemoglobins of small Pogonophora. *Journal of the Marine Biological Association of the United Kingdom* 67: 219-234.

TESSAMAR-RAIBLE, K.; RAIBLE, F.; CHRISTODOULOU, F.; GUY, K.; REMBOLD, M.; HAUSEN, H. and ARENDT, D. 2007 - Conserved sensory-neurosecretory cell types in annelid and fish forebrain:

insights into hypothalamus evolution. *Cell* 129: 1389-1400. Doi: 10.1016/j.cell.2007.04.041.

TOMER, R.; DENES, A.S.; TISSAMAR-RAIBLE, K. and ARENDT, D. 2010 - Profiling by image registration reveals common origin of annelids mushroom bodies and vertebrate pallium. *Cell* 142: 800-809. Doi: 10.1016/j.cell.2010.07.04.041.

ULRICH, W. 1972 - Die Geschichte des Archicoelomaten-Bedriffs und die Archicoelomatennatur der Pogonophora. *Zeitschrit für Zoologische Systematik und Evolutionsforchung* 10: 301-320.

USCHAKOV, P.V. 1933 - Eine neue form aus der Familie Sabellidae (Polychaeta). *Zoologischer Anzeiger* 104: 205-208.

WALTON, L.B. 1927 - The polychaete ancestry of the insects. *The American Naturalist* 61: 226-250.

WEBB, M. 1964 - The posterior extremity of *Siboglinus fiordicum* (Pogonophora). *Sarsia* 15: 33-36.

WESTHEIDE, W. 1997 - The direction of evolution within the Polychaeta. *Journal of Natural History* 31: 1-15.

WILEY, E.O. 1981 - **Phylogenetics: the theory and practice of phylogenetic systemetics.** John Wiley and Sons, New York 439 p.

WILSON, D.P. 1932 - On the mitraria larva of owenia fusiformis Delle Chiaje. *Philosophical Transaction of the Royal Society, London.* 221: 231-334.

YOUNG, C.M.; VÁZQUEZ, E.; MATAXAS, A. and TYLER, P.A. 1996 - Embriology of vestimentiferan tube worms from deep-sea methane/sulphide seeps. *Nature* 381: 515-516.

Revista Nordestina de Biologia. 19(2): 77-93   30.XII.2010

A NEW SPECIES OF *ANDRODELOSCIA* (ISOPODA : PHILOSCIIDAE) FROM THE BRAZILIAN AMAZON

Daniela Correia Grangeiro,
daniela.gangeiro@gmail.com
Martin Lindsey Christoffersen
mlchrist@dse.ufpb.br

Departamento de Sistemática e Ecologia, Universidade Federal da Paraíba, João Pessoa, PB, Brasil

RESUMO

Uma nova espécie de Androdeloscia (Isopoda: Philosciidae) da Amazônia brasileira. Uma nova espécie de Androdeloscia é descrita para a Amazônia brasileira. Ela. possui as seguintes apomorfias, uma concavidade seguida de uma elevação marcante na porção central da franja lateral da maxílula, ápice do endópode 1 do macho coberto densamente por espinhos nas margens externas e internas, mas com ápice reto e sem espinhos. A nova espécie compartilha uma sinapomorfia exclusiva com as outras duas espécies conhecidas da Amazônia Brasileira: a presença de quatro dentes bifurcados na maxílula. Caracteres diagnósticos, sinonímia, distribuição e referências são fornecidos para as 22 espécies conhecidas de *Androdeloscia*.
Palavras-chave: Crustacea, isópode terrestre, Prosekiini, "Philosciidae", nova espécie.

ABSTRACT

A new species of Androdeloscia (Isopoda: Philosciidae) from the Brazilian Amazon. A new species of Androdeloscia is described from the Brazilian Amazon. It has two autapomorphies, a concavity followed by a conspicuous elevation on the central portion of the lateral fringe of the maxillule and the apex of endopod 1 of male densely spinulose on internal and external margins, with apex straight and unarmed. The new species shares a unique synapomorphy with the two previously known species from Brazilian Amazon, the presence of four cleft teeth on the maxillule. Diagnostic characters, synonyms, distribution, and references are provided for the 22 known species of *Androdeloscia*.
Key words: Crustacea, terrestrial isopod, Prosekiini, "Philosciidae", new species.

INTRODUCTION

There were 3637 species of Oniscidea catalogued up to the year 2004 (SCHMIDT, 2008), about 80% of which belong to the Crinocheta, the most numerous of the five subgroups of oniscids (ERHARD, 1996), containing the most successful adaptations to the driest terrestrial habitats and representing the only group to have a phylogenetic hypothesis (SCHMIDT, 2008). The problematical "Philosciidae" Kinahan, 1957 contain about 450 species of the "runner-type" (slender body, smooth dorsal surface, long legs and long second antennae, a three-jointed flagellum on the second antenna, and a pleon narrower than the pereon), considered to represent a plesiomorphic facies (SCHMIDT and LEISTIKOW, 2005). However, it has been possible to establish a monophyletic subclade Prosekiini Leistikow, 2001, which includes *Andenoniscus* Verhoeff, 1941, *Xiphoniscus* Vandel, 1968, *Erophiloscia* Vandel, 1972, *Androdeloscia* Leistikow, 1999, *Prosekia* Leistikow, 2000, and *Metaprosekia* Leistikow, 2000. Synapomorphies for Prosekiini are: "antenule with the medial aesthetascs gathered in a tuft, directed more or less medio-distally, not attached to article 3; transverse fold between aesthetascs tuft and distal pair of aesthetascs, and male pleopod 1 with hyaline lamellae near apex" (see LEISTIKOW, 2001; SCHMIDT, 2008). On the basis of the apomorphic character, we suggest that *Alboscia* Schultz, 1995 also belongs to this clade.

The genus *Androdeloscia* was established by LEISTIKOW (1999) for those members of the genus *Prosekia* Vandel, 1968 having the following characteristics: small size; *linea frontalis* reduced; the shape of the male pleopod V exopodite apically drawn out to some extent; and a furrow parallel to the medial margin of the caudal surface covered with pectinate scales in the male pleopod V exopodite (this last trait was recognized as an autapomorphy for *Androdeloscia*) (LEISTIKOW, 1999, 2001; SCHMIDT and LEISTIKOW, 2005). *Erophiloscia* from South America east of Ecuador and Peru, is indicated as the sister-group of *Androdeloscia* (LEISTIKOW, 2001).

LEISTIKOW (1999) described 13 new species of *Androdeloscia*: *A. taitii* Leistikow, 1999, *A. opercularis* Leistikow, 1999, *A. dalensi* Leistikow, 1999, *A. poeppigi* Leistikow, 1999, *A. malleus* Leistikow, 1999, *A. conipus* Leistikow, 1999, *A. plicatipus* Leistikow, 1999, *A. feistae* Leistikow, 1999, *A. ferrarai* Leistikow, 1999, *A. longiunguis* Leistikow, 1999, *A. digitata* Leistikow, 1999, *A. merolobata* Leistikow, 1999, and *A. pseudosilvatica* Leistikow, 1999 and established the new combinations *A. hamigera* (Vandel 1952), *A. tarumae* (Lemos de Castro 1984), and *A. silvatica* (Lemos de Castro and Souza 1986), for species originally described in *Prosekia* and *Androdeloscia*.

In his subsequent paper, LEISTIKOW (2000) dealt with isopods from Guatemala and Mexico, describing *Androdeloscia valdezi* Leistikow, 2000, and transfering *Philoscia formosa* (Mulaik, 1960) to *Androdeloscia*. In the World Catalog of Terrestrial Isopods, containing a revised and updated on-line version dated 2004, SCHMALFUSS (2003) accepted two new combinations of LEISTIKOW (1999), but maintained *Prosekia tarumae*. In a more recent paper, SCHMIDT and LEISTIKOW (2005) described four more species of *Androdeloscia*: *A. boliviana* Leistikow and Schmidt, 2005, *A. escalonai* Leistikow and Schmidt, 2005, *A. monstruosa* Leistikow and

Schmidt, 2005, and *A. muscorum* Leistikow and Schmidt, 2005, and placed *A. plicatipus* Leistikow, 1999 in the synonymy of *A. feistae* Leistikow, 1999. There are presently 21 species of *Androdeloscia* (SCHMIDT and LEISTIKOW, 2005).

The following list of the 21 known species of Androdeloscia includes synonyms, distribution and references.

A. boliviana Schmidt and Leistikow, 2005 – Bolivia - SCHMIDT and LEISTIKOW, 2005.

A. conipus Leistikow, 1999 – Peru - LEISTIKOW, 1999; SCHMIDT and LEISTIKOW, 2005.

A. dalensi Leistikow, 1999 – Venezuela - LEISTIKOW, 1999; SCHMIDT and LEISTIKOW, 2005.

A. digitata Leistikow, 1999 - Brazil (Amazon) - LEISTIKOW, 1999; SCHMIDT and LEISTIKOW, 2005.

A. escalonai Schmidt and Leistikow, 2005 - Venezuela - SCHMIDT and LEISTIKOW, 2005.

A. feistai Leistikow, 1999 – Peru - LEISTIKOW, 1999; SCHMIDT and LEISTIKOW, 2005.
Syn: *A. plicatipus* Leistikow, 1999

A. ferrarai Leistikow, 1999 – Peru - LEISTIKOW, 1999; SCHMIDT and LEISTIKOW, 2005.

A. formosa (Mulaik, 1960) – Peru - MULAIK, 1960; LEISTIKOW, 2000; SCHMIDT and LEISTIKOW, 2005.
Syn: *Philoscia formosa* Mulaik, 1960.

A. hamigera (Vandel, 1952) - Venezuela - VANDEL, 1952; LEISTIKOW, 1999; SCHMIDT and LEISTIKOW, 2005.
Syn.= *Prosekia hamigera* (Vandel, 1952)

A. longiunguis Leistikow, 1999 – Peru - LEISTIKOW, 1999; SCHMIDT and LEISTIKOW, 2005.

A. malleus Leistikow, 1999 – Peru - LEISTIKOW, 1999; SCHMIDT and LEISTIKOW, 2005.

A. merolobata Leistikow, 1999 – Peru - LEISTIKOW, 1999; SCHMIDT and LEISTIKOW, 2005.

A. monstruosa Schmidt and Leistikow, 2005 – Venezuela - SCHMIDT and LEISTIKOW, 2005.

A. muscorum Schmidt and Leistikow, 2005 – Bolivia - SCHMIDT and LEISTIKOW, 2005.

A. opercularis Leistikow, 1999 – Venezuela - LEISTIKOW, 1999; SCHMIDT and LEISTIKOW, 2005.

A. poeppigi Leistikow, 1999 – Peru - LEISTIKOW, 1999; SCHMIDT and LEISTIKOW, 2005.

A. *pseudosilvatica* Leistikow, 1999 – Venezuela - LEISTIKOW, 1999; SCHMIDT
and LEISTIKOW, 2005.
A. *silvatica* (Lemos de Castro and Souza, 1986) - Brazil (Amazon; south of
Ceará) Venezuela - LEMOS DE CASTRO and SOUZA, 1986; LEISTIKOW,
1999; SCHMIDT and LEISTIKOW, 2005; SOUZA and GRANGEIRO, 2006.
Syn: *Prosekia silvatica* (Lemos de Castro and Souza, 1986).
A. *taitii* Leistikow, 1999 – Peru - LEISTIKOW, 1999; SCHMIDT and LEISTIKOW,
2005.
A. *tarumae* (Lemos de Castro, 1984) - Brazil (Amazon) - LEMOS DE CASTRO,
1984; LEISTIKOW, 1999; SCHMIDT and LEISTIKOW, 2005.
Syn: *Prosekia tarumae* (Lemos de Castro, 1984).
A. *valdezi* Leistikow, 1999 – Guatemala - LEISTIKOW, 1999; SCHMIDT and
LEISTIKOW, 2005.

In the Appendix 1 we give the main diagnostic characters for the 22
known species of the genus. The genus *Androdeloscia* has an ample
distribution in the Neotropics— Mexico, Guatemala, Venezuela, Peru, and
Brazil. There are a total of 3 species known from Brazilian Amazonia: *A.
digitata, A. tarumae,* and *A. silvatica* (LEMOS DE CASTRO, 1984; SCHMIDT
and LEISTIKOW, 2005). Up to the present, only one species of the genus, *A.
silvatica*, was registered for another region in Brazil — State of Ceará,
northeast Brazil (SOUZA and GRANGEIRO, 2006).

The new species described herein belongs to a rich and diversified
collection of Oniscidea collected in the Brazilian Amazon by the late Dr. Joachim
Adis (Max-Planck Institut), presently being studied at the State University of
Ceará and the Federal University of Paraíba by the authors of this paper.

SYSTEMATICS

Order ISOPODA
Superfamily ONISCIDEA
Family PHILOSCIDAE
Tribe PROSEKIINI Leistikow, 2001

Genus *Androdeloscia* Leistikow, 1999.
Type species: *Androdeloscia hamigera* Vandel, 1952

Androdeloscia leilae n. sp.
(Figures 1 to 5)

Holotype: INPA 1750, male, part preserved in alcohol and part mounted on
slide.
Type locality: BRAZIL, Lago Januari: mixed water, 03°02'S, 60°17'W, *Leg.* J.

Adis *et al.*, 16/V/1988.

Paratypes:

INPA 1751, 116 males, 264 females, BRAZIL, Lago Januari: mixed water, 03°02'S, 60°17'W, *leg.* J. Adis *et al.* cols., 16/V/1988;

INPA 1752, 28 males, 54 females, BRAZIL, Lago Januari: mixed water, 03°02'S, 60°17'W, *leg.* J. Adis *et al.* cols., 31/V/1988;

MZUSP 20006, 3 males, 1 females, BRAZIL, Lago Januari: mixed water, 03°02'S, 60°17'W, *leg.* J. Adis *et al.* cols., 12/IV/1988;

MZUSP 20007, 4 males, 4 females, BRAZIL, Capoeira do rio Tarumã Mirim: secondary forest, 03°02'S, 60°17'W, *leg.* J. Adis *et al.* cols., 29/IV/1988;

INPA 1753, 3 males, 6 females, BRAZIL, Lago Januari: mixed water, 03°02'S, 60°17'W, *leg.* J. Adis *et al.* cols., 15/VI/1988;

INPA 1754, 3 males, 10 females, BRAZIL, Lago Januari: mixed water, 03°02'S, 60°17'W, *leg.* J. Adis *et al.* cols., 15/V/1988.

Diagnosis.

Body pigmented, dark-brown, small light spots on cephalothorax. Eyes with nine well pigmented ommatidia; telson with 5 light spots: two lateral pairs and one drop-shaped spot centro-distally (Figure 1A). *Noduli laterales* conspicuous, *nodulus* of pereonite IV inserted more dorsally. Distal article of antennule with 11 subapical and 2 apical aesthetascs (Figure 1B). Margin of maxillule with a concavity followed by a conspicuous elevation on the central portion of the lateral fringe. Male pereopod 7 with a discrete lobe on merus. Male pleopod 1 with apex of endopodite slightly bent laterally in its proximal part, which has a row of small spines in the internal and external margins; distal part of apex unarmed and straight.

Description of the Holotype:

Dimensions (Aprox.): Male: total length 4,0 mm maximum width 1,0 mm. Female paratype: total length 3,0mm, maximum width 1,0mm.

Color: Brown, with small light spots on head and pleon, and other light spots of variable size on lateral portions of pereonites I-VII. Telson with a distinct color pattern – there are five light spots: Two lateral pairs and one drop-shaped stain on disto-central region of telson (Figure 1A).

Tegument: Smooth, covered by small, simple setae; *noduli lateralis* forming single row on pereonites I-VII, conspicuous and flagelliform. The relative position of the *noduli lateralis* is represented in the figure 5.

Head: Slightly covered by the first pereonite; frontal and lateral lobes slightly developed; frontal line tenuous, demarcated by curvature of vertex; supra-antennal line well marked; composite eye with nine ommatidea.

Pleon: Narrow in relation to pereon.

Telson: Triangular, with extremity rounded and sides straight (Figure 1A).

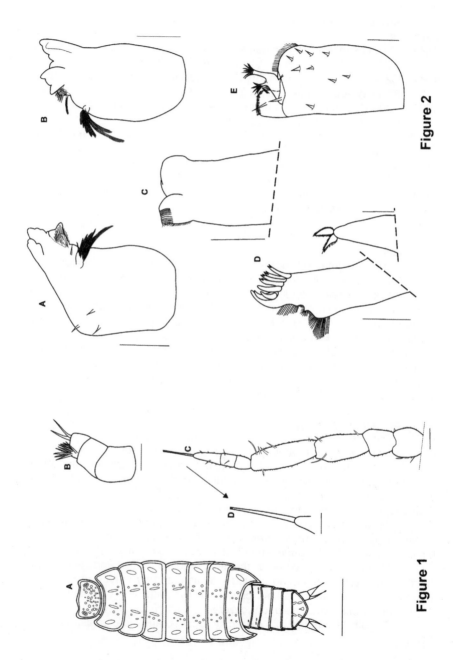

Figure 2

Figure 1

← **Figure 1** - *Androdeloscia leilae* n. sp. Male holotype (INPA 1750). A=
Habitus dorsal, B= Antennule, C= Antenna, D= Antenna magnified: Scale
bars = 0.1 mm for drawings A e C, 0,025 mm for drawing B and 0,05 mm
for drawing D.

← **Figure 2** - *Androdeloscia leilae* n. sp. Male holotype (INPA 1750). A = Left
mandible, B= Right mandible, C= Maxilla, D= Maxillule, E= Maxilipede.
Scale bars = 0.05 mm.

Antennule: Distal article shortest, with two apical and 9 subapical
aesthetascs; proximal and median articles subequal. A gap between the
apical and subapical groups of aesthetascs is present (autapomorphy of
Prosekiini) (Figure 1B).

Antenna: Flagellum triarticulate, distal article longest, proximal and
middle articles subequal; apical cone covered by cuticular sheath, long and
slender, and as long as distal article, consisting apically of a tuft of very small
free sensillae (Figure 1C-D).

Mandibles: Molar penicil with seven branches in the right mandible
and with six branches in the left (Figure 2A-B).

Maxillule: Medial maxillular endite with two penicils, with a roudend
apex, and without an apical tip. Lateral maxillular endite with 4 + 4 teeth, inner
set cleft; central portion of lateral fringe with a concavity followed by a small
but conspicuous elevation (autapomorphy) (Figure 2D).

Maxilla: Maxilla with inner lobe smaller than outer lobe. Inner lobe
with a row of about 10 narrow and elongate structures having on apex in the
shape of a cusp (Figure 2C).

Maxilliped: Basipodite much broader than apical region, with latero-
distal edge rounded, and bearing hair-like setae and some tricorn-like setae
caudally. Endite rectangular without knob-like penicil and with one
conspicuous seta; a very small spine-like seta in the latero -distal corner;
and a row of small hair-like setae apically. Palp with proeminent proximal
and medial setal tufts. Proximal article with 1 strong seta (Figure 2E).

Pereopods: With short and long, simple, setae; dactylar seta long;
carpus of pereopods, except III, with tufts of lateral setae. Pereopod I stout;
carpus with carpal seta conspicuous and sensory setae with one apical and
two lateral fringes.

Sexual characters of male pereopods: Carpus of pereopod I with
two ornamental setae and a brush of fine setae (Figure 3C-D) which cover a
larger surface than in female (Figure 4C); propodus and merus of pereopod
I with many spines. Merus of pereopod VII with lobe on outer distal region
(Figure 3F), absent in female (Figure 4D).

Pleopods: Absence of respiratory surfaces. Endopodite of pleopod I
with subapical transverse groove and with apex bent laterally, forming a hook.
Distal part of endopodite without lateral protrusions. Proximal part of

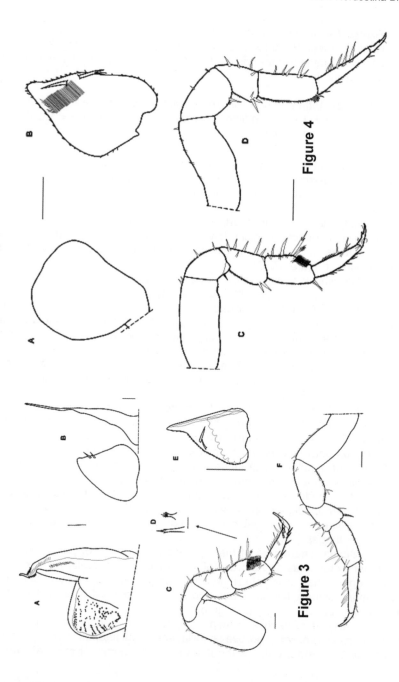

Figure 4

Figure 3

← **Figure 3** - *Androdeloscia leilae* n. sp. Male holotype (INPA 1750). A= Pleopod I, B= Pleopod II, C= Pereopod I, D= Spine of pereopod I, E= Pleopod V, F= Pereopod VII. Scale bars = 0.01 mm for drawings A-B, 0.1 mm for drawings C-F.

← **Figure 4** - *Androdeloscia leilae* n. sp. Female paratype (INPA 1751 A). A= Exopod I, B= Exopod V, C= Pereopod I, D= Pereopod VII. Scale bars = 0.1 mm.

endopodite produced into a more or less long projection alongside the distal part. Exopodite distally rounded. Pleopod II with endopod longer than large; exopod with triangular shape and having two apical setae on internal border. Exopodite V on mesial margin with hairy groove and with two long setae on external border and many setae surrounding all of the external border; groove present for the fitting of the endopod II, an autapomorphy of *Androdeloscia* (Figure 3).

Sexual characters of male pleopods: Endopod of pleopod I hook-shaped or with transverse groove, having about six spiniform apical projections on inner and outer surfaces; inner surface, from apex to median part of endopod, with a row of short setae. Exopod of pleopod I oval (Figure 3A), in female the exopod is approximately quadrangular (Figure 4A). Endopod of pleopod II longer than large; exopod of pleopod II triangular (Figure 3B). Exopod of pleopod V of male with groove for the fitting of pleopod II, absent in female (Figure 4B) and with apex elongate (Figure 3E). Males are smaller than females.

Etymology.
The new species was named after Leila Aparecida Souza, who has contributed so much to the knowledge of Brazilian Oniscidea.

Remarks. *Androdeloscia leilae* sp. n. may be distinguished from all other species of the genus mainly by the shape of endopod I of male, the apex of which is densely spinulose on internal and external margins (Figure 3A) and by the shape of the maxillule, provided with a concavity followed by a conspicuous elevation in the central portion of the lateral fringe (Figure 2D).

A. leilae sp. n. shares with the two other Brazilian Amazon species, *A. digitata* and *A. tarumae*, the unique presence of four cleft teeth on the distal end of the endite of the maxillule. With the exception of *A. hamigera*, in which this number has apparently been reduced independently to 3 cleft teeth, all the remaining species of the genus have the plesiomorphic count of 5-6 cleft teeth in this position. In our opinion, this new clade is positioned between two successive outgroups and most basal lineages of *Androdeloscia*, *A. muscorum* and *A. boliviana*, and the clade of all remaining *Androdeloscia*. *A. boliviana* apparently represents the most basal species of *Androdeloscia*,

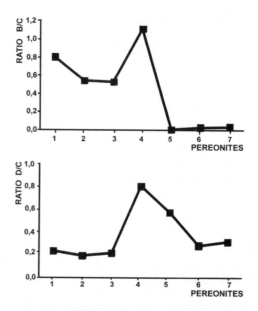

Figure 5- *Androdeloscia leilae* n. sp. Paratype (INPA 1751 A). Relative position of the *Noduli laterales* on pereonites I–VII defined by the ratios B/C and D/C. B = distance from the *Nodulus lateralis* to the posterior margin of the pereonite, C= antero-posterior max. length of the pereonal tergite; D= distance from the *Nodulus lateralis* to the lateral margin of the pereonite

for having 14-15 ommatidia, while the remaining species have 11 or less. The succession of more derived clades which follow Brazilian Amazon clade begin with the Peruvian clades 8 and character 23 of LEISTIKOW (2001) (*A. ferrarai, A. longiunguis, A. merolobata,* and *A. taitii*) and at least part of this author´s clade 6 (based on his character 9: *A. conipus, A. poeppigi, A. festae,* and *A. malleus*). These are then plausibly followed by the Venezuelan and Central American species. The latter clade is apparently adapted to less humid habitats and share with clade 6 of LESTIKOW (2001) the smaller size of males, which are 4mm or less in length.

We have been unable to interpret the complex evolution of the projections on the merus of pereopod VII: Although the three projections found in *A. silvatica, A. pseudosilvatica,* and *A. formosa* seem to be unique, their derivation from a smaller number of meral projections occurring in *A. tarumae,* tubercles occurring in *A. muscorum,* and lobes occurring in *A. digitata, A. longiunguis,* and *A. merolobata,* has not become clear in a phylogenetic context. We hope the description of further Brazilian species from the Amazon will shed further light on this interesting character.

ACKNOWLEDGMENTS

To Dr. Joachim Adis (*in memoriam*) for steadily supplying material from the Amazon. M.L.C. received a productivity grant from CNPq (Conselho Nacional de Desenvolvimento Científico e Tecnológico). D.C.G. received a masters scholarship from CAPES (Coordenação de Aperfeiçoamento de Pessoal de Nível Superior). Douglas Zeppelini kindly reviewed the manuscript.

REFERENCES

ARAUJO, P. 1999 - Two new species of *Alboscia* Schultz, 1995 from Rio Grande do Sul, Brasil (Isopoda: Oniscidea: Philosciidae). *Crustaceana* 72: 487-496.

ARAUJO, P. and QUADROS, A.F. 2005 - A new species of *Alboscia* Schultz, 1995 (Crustacea: Isopoda: Oniscidea) from Brazil. *Zootaxa* 1018: 55-60.

ERHARD, F. 1996 - Das pleonale skelet-muskel-system und die phylogenetisch-systematische stellung der familie mesoniscidae (Isopoda: Oniscidea). *Stuttgarter Beiträge zur Naturkunde* 538: 1–40.

KINAHAN, J. 1857 - Analysis of certain allied genera of terrestrial isopods with description of a new genus and a detailed list of the British species of *Ligia*, *Philougria*, *Philoscia*, *Porcellio*, *Oniscus* and *Armadillium*. *Natural History Review* 4: 258–282.

LEISTIKOW, A. 1999 - *Androdeloscia* gen. n., a new genus of South American terrestrial isopoda with description of 13 new species (Crustacea: Oniscidae: "Philosciidae"). *Revue Suisse de Zoologie* 106: 813–904.

LEISTIKOW, A. 2000 - Terrestrial Isopoda from Guatemala and Mexico (Crustacea: Oniscidae: Crinocheta). *Revue Suisse de Zoologie* 107: 283–323.

LEISTIKOW, A. 2001 - Phylogeny and Biogeography of South American Crinocheta, traditionally placed in the family "Philosciidae" (Crustacea: Isopoda: Oniscidea). *Organisms Diversity* and *Evolution* 4: 1–85.

LEMOS DE CASTRO, A. 1984 - Uma nova espécie de *Prosekia* (Philosciidae, Isopoda) de uma floresta inundável (Igapó) na Amazônia Central. *Amazoniana* 8: 441–445.

LEMOS DE CASTRO, A. and SOUZA, L. A. 1986 - Três espécies novas de isópodes terrestres do gênero *Prosekia* Vandel da Amazônia brasileira (Isopoda, Oniscoidea, Philosciidae). *Revista Brasileira de Biologia* 46: 429–438.

MULAIK, S. 1960 - Contribución al conocimiento de los isópodos terrestres de Mexico (Isopoda, Oniscoidea). *Revista de la Sociedad Mexicana de Historia Natural* 21: 79–292.

SCHMALFUSS, H. 2003 - World catalog of terrestrial isopods (Isopoda: Oniscidea). *Stuttgarter Beiträge zur Naturkunde* 654: 1–341.

SCHMIDT, C. and LEISTIKOW, A. 2005 - Review of the genus *Androdeloscia* Leistikow, with description of four new species (Crustacea, Isopoda, Oniscidea). *Entomologische Abhandlungen* 62: 117–163.

SCHMIDT, C. 2008 - Phylogeny of the Terrestrial Isopoda (Oniscidea): a Review. *Arthropod Systematics* and *Phylogeny* 66: 191–226.

SCHULTZ, G. 1995 - Terrestrial isopod crustaceans (Oniscidea) from Paraguay with definition of a new family. *Revue suisse de Zoologie* 102: 387–424.

SOUZA, L. A. and GRANGEIRO, D.C. 2006 - Primeiro registro de crustáceos terrestres (Isopoda, Oniscidea) para a Chapada do Araripe, Ceará, Brasil. *Cadernos de Cultura e Ciência* 1: 33–39.

VANDEL, A. 1952 - Étude des isopodes terrestres récoltés au Vénézuela par le Dr. G. Marcuzzi. *Memorie del Museo cívico di Storia naturale di Verona* 3: 59–203.

VANDEL, A. 1968 - Isopodes terrestres. *Mission Zoologique Belge aux ilês Galapagos et en Ecuador* 1: 37–168.

VANDEL, A. 1972 - Les isopodes terrestres de la Colombie. *Studies on Neotropical Fauna* 7: 147–172.

VERHOEFF, K. 1941 - Land-Isopoden. *Beiträge zur Fauna Perus* 1: 73–80.

APPENDIX 1

Main diagnostic characters for the 22 known species of *Androdeloscia*

Species	Nr. of ommatidia	Antennule	Maxillulae	Mandibles	Merus of pereopod VII	Endopodite of pleopod I	Exopodite of pleopod V
A. *lellae* sp.nov.	8	With 2 apical and 9 subapical aesthetascs	4+4 teeth, four of inner set cleft	Molar penicil with 7 branches in right mandible and 6 in left, pars intermedia with 1 penicil on right mandible	With 1 short distal lobe	Distal part with lateral protrusions, proximal part not produced into a more or less globose projection on the outer side of the distal part, apex straight, with tubercles and bent laterally, without subapical transverse groove	Triangular
A. *boliviana*	14-15	With 2 apical and 8 subapical aesthetascs	4+6 teeth, four of inner set cleft, and 1 very small seta in subapical position on caudal face	Molar penicil of both mandibles with about 4 branches, pars intermedia with 2 penicils on left and 1 on right mandible	Without lobes	Distal part without lateral protrusions, proximal part produced into a more or less long projection beside the distal part, apex smooth and twisted or coiled, without subapical transverse groove	With mesal margin distally produced into a long, distinct tip
A. *conipus*	6	With 2 apical and 10 subapical aesthetascs	4+5 teeth, four of inner set cleft	Molar penicil of both mandibles with about 4 branches, pars intermedia with 2 penicils on left and 1 on right mandible	Without lobes	Distal part without lateral protrusions, proximal part produced into a more or less long projection beside the distal part, apex smooth, straight or curved or bent laterally, without subapical transverse groove	With mesal margin distally produced into a long, distinct tip
A. *dalensi*	8	With 2 apical and 10 subapical aesthetascs	4+5 teeth, five of inner set cleft, and subapical tooth caudally	Molar penicil of both mandibles with 5 branches, pars intermedia with 2 penicils left and 1 on right mandible	Without lobes	Distal part without lateral protrusions, proximal part not produced into a more or less long projection beside the distal part, apex straight, curved or bent laterally and with tubercles, without subapical transverse groove	Triangular

APPENDIX 1 continued

Species							
A. digitata	8	With 2 apical and 10 subapical aesthetascs	4+4 teeth, four of inner set cleft, and subapical tooth caudally	Molar penicil of both mandibles with about 4 branches, pars intermedia with 2 penicils left and 1 on right mandible	With 1 very long distal lobe	Distal part without lateral protrusions, proximal part produced into a more or less long projection beside the distal part, apex smooth, and twisted or coiled, without subapical transverse groove	With mesal margin distally produced into a long, distinct tip
A. escalonai	8	With 2 apical and 4 subapical aesthetascs	4+5 teeth, five of inner set cleft, and 1 much smaller simple tooth-seta on distal margin	Molar penicil of both mandibles with 4 branches, pars intermedia with 1 penicil on both mandibles	Without lobes	Distal part without lateral protrusions, proximal part not produced into a more or less long projection beside the distal part, apex smooth, straight or curved or bent laterally, without subapical transverse groove	Triangular
A. feistai = A. plicatipus	7	With 2 apical and 10 subapical aesthetascs	4+6 teeth, five of inner set cleft, and 1 vestigial tooth	Molar penicil with about 4 branches, pars intermedia with 2 penicils left and 1 on right mandible	Without lobes	Distal part without lateral protrusions, proximal part not produced into a more or less long projection beside the distal part, apex twisted or coiled with tubercles, without subapical transverse groove	Triangular
A. ferrarai	10	With 2 apical and about 9 subapical aesthetascs	4+5 teeth, four of inner set cleft	Molar penicil of both mandibles with about 4 branches, pars intermedia with 2 penicils left and 1 on right mandible	Without lobes	Distal part without lateral protrusions, proximal part not produced into a more or less long projection beside the distal part, apex straight or curved or bent laterally with tubercles, with subapical transverse groove	Triangular
A. formosa	8	Without details or description	4+3 teeth, three of inner set cleft	Molar penicil of both mandibles with 4 branches	With 3 lobes: 2 distal and 1 proximal	Distal part without lateral protrusions, proximal part produced into a more or less long projection beside the distal part, apex smooth, straight or curved or bent laterally, without subapical transverse groove	Triangular

APPENDIX 1 continued

A. hamigera	8	3+5 teeth, four of inner set cleft	With 2 apical and about 6 subapical aesthetascs	Molar penicil of both mandibles with about 7 branches, pars intermedia with 2 penicils left and 1 on right mandible	Without lobes	Distal part without lateral protrusions, proximal part not produced into a more or less long projection beside the distal part, apex smooth, straight or curved or bent laterally, without subapical transverse groove	With mesal margin distally produced into a long, distinct tip
A. longiunguis	8	4+6 teeth, four of inner set cleft, and innermost simple tooth short, rostrally with subapical vestigial tooth	With 3 apical and more of 8 subapical aesthetascs	Molar penicil of both mandibles with 3 branches, pars intermedia with 2 penicils and coniform setae on left and 1 on right mandible	With 1 short proximal lobe	Distal part without lateral protrusions, proximal part not produced into a more or less long projection beside the distal part, apex twisted or coiled with tubercles, with subapical transverse groove	Triangular
A. malleus	7	4+5 teeth, four of inner set cleft	With 2 apical and 9 subapical aesthetascs	Molar penicil of both mandibles with 4 branches, pars intermedia with 2 penicils left and 1 on right mandible	Without lobes	Distal part with lateral protrusions, proximal part produced into a more or less long projection beside the distal part, apex smooth, twisted or coiled, without subapical transverse groove	Triangular
A. merolobata	7	4+6 teeth, four of inner set cleft, and simple teeth short, subapical vestigial tooth on rostral surface	With 2 apical and about 9 subapical aesthetascs	Molar penicil of both mandibles with 4 branches, pars intermedia with 2 penicils left, 1 on right mandible	With 1 short distal lobe	Distal part without lateral protrusions, proximal part not produced into a more or less long projection beside the distal part, apex twisted or coiled with tubercles, with subapical transverse groove	Triangular

APPENDIX 1 continued

Species	Nr. of ommatidia	Antennule	Maxillulae	Mandibles	Merus of pereopod VII	Endopodite of pleopod I	Exopodite of pleopod V
A. monstruosa	7	With 2 apical and about 4 subapical aesthetas cs	4+5 teeth, four of inner set cleft, and 1 much smaller simple tooth-seta on distal margin	Molar penicil with by a tuft of hairy setae, pars intermedia with 2 penicils left and 1 on right mandible	Without lobes	Distal part without lateral protrusions, proximal part produced into a more or less long projection beside the distal part, apex traight or curved or bent laterally with tubercles, without subapical transverse groove	Triangular
A. muscorum	11	With 2 apical and 6 subapical aesthetas cs	4+6 teeth, four of inner set cleft, 1 very small seta in subapical position on caudal face	Molar penicil with by a tuft of hairy setae, pars intermedia with 2 penicils left and 1 on right mandible	Without lobes, with ventro-caudal tubercle	Distal part without lateral protrusions, proximal part produced into a more or less long projection beside the distal part, apex twisted or coiled with tubercles, without subapical transverse groove	Triangular
A. opercularis	7	With 2 apical and 10 subapical aesthetas cs	4+5 teeth, five of inner set cleft, and 1 short subapical tooth caudally	Molar penicil of both mandibles with 4 branches, pars intermedia with 2 penicils left and 1 on right mandible	Without lobes	Distal part without lateral protrusions, proximal part produced into a more or less long projection beside the distal part, apex straight or curved or bent laterally with tubercles, without subapical transverse groove	Triangular
A. poeppigi	7	With 2 apical and 10 subapical aesthetas cs	4+5 teeth, four of inner set cleft	Molar penicil of both mandibles with 4 branches, pars intermedia with 2 slender penicils left and right with few setae and 1 penicil	Without lobes	Distal part with lateral protrusions, proximal part not produced into a more or less long projection beside the distal part, apex smooth, straight or curved or bent laterally, without subapical transverse groove	With mesal margin distally produced into a long, distinct tip

APPENDIX 1 continued

A.pseudosilvatica	About 7	With 2 apical and 2 subapical aesthetas cs	4+5 teeth, four of inner set cleft	Molar penicil of both mandibles with about 4 branches, pars intermedia with 2 left and 1 on right mandible	With 3 lobes on merus: 2 distal and 1 proximal	Distal part without lateral protrusions, proximal part produced into a more or less long projection beside the distal part, apex with smooth, straight or curved or bent laterally, without subapical transverse groove	Triangular
A. silvatica	About 7	With 2 apical and about 10 subapical aesthetas cs	4+5 teeth, four of inner set cleft	Molar penicil of both mandibles with 3 branches, pars intermedia only sparcely setose	With 3 lobes on merus: 2 distal and 1 proximal	Distal part without lateral protrusions, proximal part produced into a more or less long projection beside the distal part, apex straight or curved or bent laterally with tubercles, without subapical transverse groove	Triangular
A. taitii	About 7	With 2 apical and about 10 subapical aesthetas cs	4+6 teeth, four of inner set cleft	Molar penicil of both mandibles with about 4 branches	Without lobes	Distal part without lateral protrusions, Proximal part not produced into a more or less long projection beside the distal part, apex twisted or coiled with tubercles, with subapical transverse groove	Triangular
A. tarumae	About 11	With 2 apical and 6 subapical aesthetas cs	4+4 teeth, four of inner set cleft	Molar penicil of both mandibles with 4 branches, pars intermedia with 2 right and 1 penicil on left mandible	Without lobes, with incision on distal border	Without details or description	Without details or description
A. valdezi	About 8	With 2 apical and about 9 subapical aesthetas cs	4+6 teeth, five of inner set cleft	Molar penicil of both mandibles with 3 branches, pars intermedia with 2 left and 1 penicil on right mandible	Without lobes on merus	Distal part with lateral protrusions, proximal part produced into a more or less long projection beside the distal part, apex straight or curved or bent laterally, without subapical transverse groove	Triangular

RECOMENDAÇÕES PARA OS AUTORES

A REVISTA NORDESTINA DE BIOLOGIA publica artigos científicos que contribuam para o avanço do conhecimento em áreas como Sistemática, Filogenia, Biogeografia, Embriologia, Paleontologia, Morfologia, Ecologia, Etologia, Etnobiologia, Fisiologia, Genética, Biologia Molecular, bem como Filosofia das Ciências Biológicas e História da Biologia, que tenham, preferencialmente, um enfoque crítico e/ou comparativo. Os manuscritos devem ser inéditos e redigidos em português ou inglês. A responsabilidade quanto ao mérito do trabalho é exclusiva dos autores. A Revista é publicada pelo Centro de Ciências Exatas e da Natureza da Universidade Federal da Paraíba (UFPB) desde 1978 em forma impressa e desde 2009 também On line.

SOBRE O MANUSCRITO.

O texto deve ser editado em Word, formatado em tamanho A4, com espaço duplo, usando a fonte Arial. Tabelas deverão ser submetidas separadamente do documento principal. Fotografias e figuras em preto e branco deverão ser enviadas como imagens digitais, separadamente do documento principal, em seu formato original em arquivos Tiff e com uma resolução não menor de 300 pixels/polegada. As linhas dos desenhos deverão ter espessura adequada, a fim de conservar nitidez quando houver necessidade de redução. Deverão ser legíveis quando estiverem no tamanho da caixa da Revista (11,5 x 16,5 cm). A revista reserva-se o direito de realizar a montagem das pranchas. Todas as folhas deverão ser numeradas consecutivamente. Títulos e subtítulos deverão estar escritos de acordo com os critérios usados no último número da revista. O texto não deverá conter palavras escritas inteiramente em maiúscula, com exceção de siglas e dos nomes dos autores citados na bibliografia. Estes últimos, quando citados no texto deverão ser escritos conforme os exemplos a seguir: HENRY(1993); HENRY (1993:491); (HENRY, 1993); (HENRY, 1993:491) HENRY e WILIAMS (1993); no caso de três ou mais autores HENRY et al. (1993). Os nomes em latim ou latinizados de gêneros, espécies, subespécies e locuções Latinas deverão estar em itálico bem como palavras em idioma diferente do texto.

Os manuscritos deverão conter, por ordem, os seguintes elementos: Título - Nome do(s) autor(es) acompanhados de e-mail - Nome da(s) instituição(ões) onde foi realizado o trabalho - Quando pertinente indicação de órgão financiador ou informações similares - Resumo em português e Abstract em inglês, de até 200 palavras, contendo os aspectos essenciais do artigo; O Abstract e Resumo deverão conter no início o título do trabalho na mesma língua - Palavras-chave e Key words - Texto principal, quando cabível, dividido em introdução, material e métodos, resultados e discussão - Agradecimentos - Referências bibliográficas - Legenda das figuras e tabelas.

Deverá evitar-se a duplicação no texto de informações contidas nas tabelas.

Nas referências bibliográficas, o nome dos periódicos e títulos de livros deverão ser colocados por extenso, conforme os exemplos abaixo:

THORPE, J.P. 1983 - **Enzyme variation, genetic distance and   evolutionary divergence.** Academic Press, London 131 p.

PAUL, E. A. e VORONEY, R. P. 1984 - Field interpretation of microbial biomass activity; pp 509-521. In: KLUG, M. J. e REDDY, C. A. (Eds.), **Current perspectives in microbial ecology.** American Society for Microbiology, Washington.

HENRY, R. 1993 - Produção primária do fitoplâncton e seus fatores controladores Revista Brasileira de Biologia 53(3): 489-499.

GARCÍA, C.; HERNÁNDEZ, T; COSTA, F.; CECCANTI, B. e MASCIANDARO G. 1993 - Kinetics of phosphatase activity in organic wastes. *Soil Biology Biochemistry* 25: 561- 565.

ROSA, R. S. 1985 - **A systematic revision of the South American Chondrichthyes: Potamotrygonidae).** Tese de Doutorado. College of William and Mary, Williamsburg 523 p

JURBERG, P. e FERREIRA, R. C. R. 1991 - Colonização de *Melanoídes tuberculata* (Gastropoda: Prosobranchia: Thiaridae) e o desaparecimento de *Biomphalaría glabrata* em criadouro no Rio de Janeiro; p. 49. In: Resumos do 18° Congresso Brasileiro de Zoologia Sociedade Brasileira de Zoologia, Universidade Federal da Bahia Salvador.

SOBRE A SUBMISSÃO.

Não serão admitidos trabalhos anteriormente publicados em outras revistas ou livros, mesmo em idioma diferente. A responsabilidade do não atendimento aos direitos autorais será exclusiva dos autores.

Os trabalhos submetidos serão analisados previamente pelos editores que decidirão sobre a sua pertinência ou não para publicação na revista. Em caso positivo, o manuscrito será enviado para análise de dois consultores ad hoc cujo nome não será mantido em sigilo. A versão final do trabalho deverá considerar as sugestões dos consultores e dos editores. Eventualmente será cobrado dos autores o custo de publicação por página impressa, a ser pago quando do envio da prova diagramada para revisão final pelos autores. Cada autor ou conjunto de autores terá direito a 50 separatas (total) e um arquivo em PDF gratuitos.

Para correspondência eletrônica e envio de manuscritos via e-mail usar revnebio@gmail.com. Desde janeiro de 2010 a submissão poderá ser feita também *on line* em (http://periodicos.ufpb.br/ojs2/index.php/revnebio)

Antes da submissão *on line* solicitamos atenção aos seguintes procedimentos:

1- Verifique se o texto segue os padrões de formatação da Revista descritos em acima.

2- Verifique se já possui no portal um Login/Senha para a Revista Nordestina de Biologia, caso não possua realize o Cadastro de usuários. Este é obrigatório para submissão de documentos *on line* e para verificação do estágio das submissões.

3- Verifique se os documentos de submissão não ultrapassam 2 MB. Se ultrapassar, envie arquivos como tabelas e imagens separadamente do texto, como "documento suplementar", indicando o titulo do trabalho.